阿加莎·克里斯蒂
侦探推理系列

Destination Unknown

地狱之旅

[英] 阿加莎·克里斯蒂 著　　韩英鑫 译

人民文学出版社

著作权合同登记号:图字 01－2008－2297

Agatha Christie

DESTINATION UNKNOWN

据 HarperCollins Publishers 2002 版译出
Destination Unknown © 1940 Agatha Christie Limited,
a Chorion Company All rights reserved.

图书在版编目(CIP)数据

地狱之旅／(英)克里斯蒂著;韩英鑫译. —北京:人民文学
出版社,2008.7
ISBN 978－7－02－006611－7

Ⅰ.地… Ⅱ.①克… ②韩… Ⅲ.长篇小说－英国－现代
Ⅳ.I561.45

中国版本图书馆 CIP 数据核字(2008)第 089515 号

责任编辑:吴继珍
责任印制:王景林

地狱之旅
Di Yu Zhi Lu
〔英〕阿加莎·克里斯蒂　著
韩英鑫　译

人民文学出版社出版
http://www.rw-cn.com
北京市朝内大街 166 号　邮编:100705
山东德州新华印务有限责任公司印刷　新华书店经销
字数 160 千字　开本 850×1092 毫米　1/32　印张 8.5
2008 年 7 月北京第 1 版　　2008 年 7 月第 1 次印刷
印数 1—20000
ISBN 978－7－02－006611－7
定价 20.00 元

如有印装质量问题,请与本社图书销售中心调换　电话:01065233595

出版说明

阿加莎·克里斯蒂被誉为举世公认的侦探推理小说女王。她的著作英文版销售量逾10亿册,而且还被译成百余种文字,销售量亦逾10亿册。她一生创作了80部侦探小说和短篇故事集,19部剧本,以及6部以玛丽·维斯特麦考特的笔名出版的小说。著作数量之丰仅次于莎士比亚。

随着克里斯蒂笔下创造出的文学史上最杰出、最受欢迎的侦探形象波洛,和以女性直觉、人性关怀见长的马普尔小姐的面世,如今克里斯蒂这个名字的象征意义几近等同于"侦探推理小说"。

阿加莎·克里斯蒂的第一部小说《斯泰尔斯庄园奇案》写于第一次世界大战末,战时她担任志愿救护队员。在这部小说中她塑造了一个可爱的小个子比利时侦探赫尔克里·波洛,他成为继福尔摩斯之后侦探小说中最受读者欢迎的侦探形象。《斯泰尔斯庄园奇案》经过数次退稿后,最终于1920年由博得利·黑德出版公司出版。

之后,阿加莎·克里斯蒂的侦探推理小说创作一发而不可收,平均每年创作一部小说。1926年,阿加莎·克里斯蒂写出了自己的成名作《罗杰疑案》(又译作《罗杰·艾克罗伊德谋杀案》)。这是她第一部由柯林斯出版公司出版的小说,开创了作为作家的她与出版商的合作关系，并一直持续了50年，共出版70余部著作。《罗杰疑案》也是阿加莎·克里斯蒂第一部被改编成剧本的小说，以Alibi的剧名在伦敦西区成功上演。1952年她最著名的剧本《捕鼠器》被搬上舞台，此后连续上演，时间之长久，创下了世界戏剧史上空前的纪录。

1971年，阿加莎·克里斯蒂获得英国女王册封的女爵士封号。1976年，她以85岁高龄永别了热爱她的人们。此后，又有她的许多著作出版，其中包括畅销小说《沉睡的谋杀案》（又译《神秘的别墅》、《死灰复燃》）。之后，她的自传和短篇故事集《马普尔小姐探案》、《神秘的第三者》、《灯光依旧》相继出版。1998年，她的剧本《黑咖啡》被查尔斯·奥斯本改编为小说。

阿加莎·克里斯蒂的侦探推理小说，上世纪末在国内曾陆续有过部分出版，但并不完整且目前市面上已难寻踪迹。鉴于这种状况，我们将于近期陆续推出最新版本的"阿加莎·克里斯蒂侦探推理系列"，以下两个特点使其显著区别于以往旧译本，其一：收录相对完整，包括经全球评选公认的阿加莎·克里斯蒂侦探推理小说代表作品；其二：根据时代的发展，对原有译文全部重新整理，使之更加贴近于读者的阅读习惯。愿我们的这些努力，能使这套"阿加莎·克里斯蒂侦探推理系列"成为喜爱她的读者们所追寻的珍藏版本。

人民文学出版社编辑部
2006年5月

献给和我一样钟爱异国旅行的安东尼①

_____

① 指克里斯蒂的女婿。

第一章

坐在桌子后面的男人把一根厚重的玻璃镇纸向右边移动了四英寸。与其说他一脸沉思或者心不在焉,倒不如说面无表情。整日在人造光下生活,使得他的面色很苍白。让人感觉到这个人是个坐办公室的。要到达他的办公室,必须走过很长一段弯弯曲曲的地下走廊,这样的布局有点奇怪,但很适合他的身份。很难猜出他的年龄。他看起来既不老,也不年轻。他的脸上皮肤光滑,没有皱纹,但是眼睛中露出极其疲惫的神情。

这个房间里的另外一个人年纪大一些。他嘴上留着一小撮军人式的八字胡。在他身上,始终保持着一种警惕的神气。即使现在,他也不能安静地坐下来,来回踱着步,嘴里不时地蹦出一两句评论。

"报告!"他暴躁地说,"报告,报告,还是报告,该死的没有一份有用!"坐在桌边的那个人低头看着面前的一堆文件。最上面摆放着一张官方的卡片,标题是"托马斯·查尔斯·贝特顿",名字后面划有一个问号。坐在桌边的那个人思忖着点点头。他说:

"你已经看过这些报告了,没有任何有用的线索吗?"

年龄稍大的那个人耸了耸肩膀。

"怎么能弄清楚呢?"他问道。

桌边的人叹着气。

"是的,"他说,"还是那样。真的没有办法搞清楚。"

年龄稍大的那个人就像机关枪扫射一样接着说:

"来自罗马的报告;来自都兰的报告;有人在里维埃拉看到他;有人在安特卫普也注意到他;有人在奥斯陆肯定地认出他;有人在比亚里兹肯定看见他;有人在斯特拉斯堡看见他行为可疑;在奥斯坦德的海滩上,有人发现他同一位迷人的金发女郎在一起;还有人发现他在布鲁塞尔的街道上牵着一条灰狗散步!到目前为止,还没有报告说看见他在动物园里面正搂着一匹斑马的脖子,但是我敢说这样的报告马上就要来了!"

"沃顿,你自己没有什么特别的猜测吗?我个人认为来自安特卫普的报告给我们带来了希望,虽然最终什么结果也没有。当然到现在——"年轻的男子停止了说话,好像是昏睡过去了似的。

不一会儿工夫,他又清醒过来,用含糊的语气说:"是的,有可能……然而——我感到很奇怪!"

沃顿上校突然坐到椅子的扶手上。

"但是我们必须查明,"他强调说,"对于整个失踪事件如何发生、发生的原因以及发生的地点,我们必须弄清楚。你不能每个月丢失一名肯干的科学家,却不知道他们如何离开,或者为什么离开,或者去了哪里!去了我们所想的那个地方——或者还是哪个我们没有想到的地方?我们总是理所当然地认为他们是到了我们所想的那个地方,但是现在我不是那么确定了。你已经看过美国寄来的关于贝特顿最近的内幕消息了吗?"

坐在桌边的人点了点头。

"在大家热衷于左倾思想时,他也有过这种倾向。他的左倾观点没被发现有任何持久性。在战争爆发前,尽管没有什么引人注目的功绩,但是他也干得不错。当曼海姆逃离德国之后,贝特顿被指派为他的助手,最后同曼海姆的女儿结婚。在曼海姆去世之后,他继续工作,凭自己的能力取得了卓越的成绩。他发现了让众人瞩目的ZE裂变,这让他功成名就。ZE裂变是一项杰出的、具有完全革命意义的发现。它让贝特顿登上了科学荣誉的顶峰。他全身心地投入到杰出的事业中,但是婚后不久,他的妻子去世了,这件事情让他精神低落。之后他来到英国。最近的十八个月一直居住在哈威尔。就在六个月之前,他再次结婚了。"

"这里面有什么问题吗?"沃顿高声问道。

坐在桌边的人摇了摇头。

"那不是我们能调查清楚的。她是当地一个律师的女儿。结婚前,她在一家保险事务所上班。根据我们的调查,迄今为止还没有发现她加入过任何偏激的政治派别。"

"ZE裂变,"沃顿上校带着沮丧和厌恶的口气说。"这些学术用语让我迷惑不解。我真是过时了。我从来就没能想象出分子是什么样子的,但是现在它们竟然分裂出整个世界!原子弹、核裂变、ZE裂变以及所有其它一切。贝特顿是进行裂变研究的顶尖科学家之一！在哈威尔人们是怎么评论他的？"

"他的性格讨人喜欢。至于工作，没有什么杰出或者特别的。只是在 ZE 裂变的实际应用方面尝试不同的方法进行研究而已。"

两个人都沉默了一会儿。他们之间的谈话毫无条理，几乎是机械的。调查报告在桌子上摞成一摞，但都毫无价值可言。

"他到英国时已经接受过彻底的审查。"沃顿说道。

"是的，每个方面都十分令人满意。"

"十八个月之前，"沃顿思忖着说。"你知道，这里的生活让他们变得沮丧。长期被监视以及隐士般的生活让他们变得紧张不安、行为古怪。这种事我见得多了。他们开始梦想着拥有一个理想化的世界，一个充满自由和兄弟情谊的世界，一个将世间所有的秘密和工作用于给人类带来福祉的世界！就在此时，那些人类的渣滓们得到了一个有机可乘的机会！"他用手摸了摸鼻子。"没有比科学家这么容易上当受骗的人了，"他说道。"所有虚假的大众媒体都这样说。不知道为什么。"

坐在桌边的人笑了，一种非常疲倦的微笑。

"哦，是的，"他说，"事情是这样的。你知道，他们认为他们懂得一切。这是很危险的。我们这样的人是不同的。我们是那种思想驽钝的人。我们不指望着能够拯救这个世界，只是当机器被卡住的时候，把一两个坏掉的部件找出来，排除故障而已。"他思索着，用指头轻轻敲打着桌子。"要是我能再多了解一点贝特顿就好了。"他说，"不仅是他的生活和行为，还有可以揭示内情的日常小事。他喜欢开什么样的玩笑。什么会使他骂人。他敬佩哪些人，讨厌哪些人。"

沃顿很好奇地看着他。

"他的妻子是什么样的人——你已经试探过她了吗？"

"试探了好多次。"

"她帮不上忙吗？"

坐在桌边的人耸了耸肩膀。

"她至今还没有帮上任何忙。"

"你认为她知道些事情？"

"当然了，她不承认自己知道任何事情。她的所有反应都是正常的：担忧、悲痛、忧心忡忡，事先没有任何征兆或者怀疑，丈夫的生活非常正常，没有任何不安——等等诸如此类的反应。她自己的看法是，她的丈夫被绑架了。"

"你不相信她说的话吗？"

"我脑子有问题，"坐在桌边的人讥讽地说。"我从来不相信任何人。"

"好吧，"沃顿慢吞吞地说，"我想，我们得多听听别人怎么说。她有什么爱好吗？"

"和你每天见到的平常的女人一样，每天打打桥牌。"

沃顿会意地点了点头。

"那么这件事更加难办了，"他说。

"她现在就要来见我。我们要把所有的情况再回顾一下。"

"这是唯一的办法了，"沃顿说道。"但我实在受不了。我没有那份耐心。"他站起来。"好吧，我就不留你了。我们没有取得什么进展，不是吗？"

"很不幸，没有进展。你可以把来自奥斯陆的报告再审阅一遍，有可能找出点儿线索。"

沃顿点了点头，然后走出去。坐在桌边的人拿起胳膊肘旁边的听筒说：

"我现在要见贝特顿夫人。把她领进来。"

他坐在那里，眼睛一直凝视着天空，直到传来敲门声，贝特顿夫人被领来。她高高的个儿，大约二十七岁。她最显著的特征是有一头漂亮的褐红色头发，高贵而华丽。在光彩熠熠的头发下面，她的面容看上去几乎不值得一提。她有一双蓝绿色的眼睛，淡淡的睫毛同红色的头发很相配。他注意到，她并没有化妆。他一边思考着她为什么不化妆，一边向她问候，并请她坐到桌子旁边一张舒适的椅子里。这使他倾向于认为，贝特顿夫人知道的远比她自己承认的事情要多。

根据他的经验，处于强烈的痛苦和忧虑中的女人通常是不会忽视化妆的。她们会意识到自己的脸上带着悲伤和痛苦，因而总是尽可能地修补这些创伤。他想知道，是否贝特顿夫人有意不化妆，这样更能使她扮演好一位心烦意乱的妻子的角色。她气喘吁吁地说：

"哦,杰索普先生,我真的希望——有什么消息吗?"

他摇了摇脑袋,轻声地说道:

"贝特顿夫人,我很抱歉让你这个样子来到这里。恐怕我们还没有任何确切的消息告诉你。"

奥利芙·贝特顿迅速说道:

"我知道。在你的信中,你已经告诉我了。但是我想知道是否——到目前为止——哦!我很高兴能过来。在家里能做的事情就是坐着胡思乱想——这是最槽糕的事情了。因为没有任何事情可以做!"

这位叫杰索普的男子带着宽慰的口气说:

"贝特顿夫人,如果我重新回顾一下所有的事情,询问你已经问过的问题,强调同样的重点,请你不要介意。你知道,我们很可能会从中发现一些重要线索。比如有些你以前没有想到过的事情,或者也许你认为不值得提及的事情。"

"是的,是的,我能理解。把所有的问题重新问我一遍吧。"

"你最后一次见到你的丈夫是在八月二十三日吗?"

"是的。"

"那是在他离开英国,前往巴黎参加一个学术会议的时候。"

"是的。"

杰索普继续说道:

"他参加了头两天的学术会议。第三天他并没有在会议上出现。显然,他曾对他的一位同事提起过,那天他要乘坐苍蝇船进行一次观光游览。"

"苍蝇船？什么是苍蝇船？"

杰索普微笑着说：

"一种在塞纳河上行驶的小船。"他眼光锐利地看着她。"你认为这不像是你丈夫的做事风格吗？"

她有些迟疑地说：

"的确不是。我本来认为他会非常喜欢这次学术会议讨论的研究课题。"

"有可能。有可能会议在这一天讨论的主题不是他特别感兴趣的，所以他可能适当地给自己放了一天假。但是这件事给你的印象是，这不像是你丈夫的处事风格吗？"

她摇了摇头。

"那天晚上，他没有回宾馆睡觉，"杰索普继续说道。"迄今为止可以肯定，他没有穿越任何国家的边境，当然用他自己的护照是无法穿越的。你认为他可能有第二个护照吗？也许是用别的名字办的护照？"

"哦，不，他为什么应该有呢？"

他注视着她。

"你在他的东西中没有看见过这样的护照吗？"

她使劲地摇了摇头。

"没有，我不相信他会有第二个护照。我一点也不相信会有这样的事情。我不相信他像你试图推断的那样故意逃跑了。他一定是发生了什么事情，要不就是——要不就是他可能失去记忆了。"

"他的健康状况很好吗?"

"是的。他平时工作非常辛苦,有的时候会感到一点疲倦,除此之外,没有其它什么了。"

"他看上去没有出现过任何焦虑或者沮丧吗?"

"他从不对任何事情感到焦虑或者沮丧!"她手指颤抖着打开了提包,从里面掏出了手帕。"这件事太可怕了。"她声音颤抖着说。"我不能相信。他从没有过一声不响就离开我。他一定是出了什么事情。他被绑架了,或者可能受到了攻击。我尽力地不这样想,但是有时候我感到事情的结果必定是这样的。他肯定已经死了。"

"好了,贝特顿夫人,好了——现在还没有必要进行这样的推断。如果他死了,那么现在他的尸体就会被发现了。"

"那不一定。经常发生一些可怕的事情。他可能被人投进河里溺死,或者被扔进下水道里。我确定,在巴黎任何事情都有可能发生。"

"贝特顿夫人,我敢向你保证,巴黎是一个治安良好的城市。"

她把手帕从她的眼睛上拿开,带着强烈愤怒的表情盯着他。

"我知道你是怎么想的,但是事实不是这样的!汤姆不会出售秘密或者出卖秘密。他不是一个共产主义者。他整个一生都是清清白白的。

"贝特顿夫人,他的政治信仰是什么?"

"我相信在美国的时候,他是一个民主党人。在英国,他支持工党。他对政治不感兴趣。他是一位纯粹的科学家。"她很蔑视地补充了一句,"他是一位杰出的科学家。"

"是的,"杰索普说,"他是一位杰出的科学家。这就是整个事情的关键所在。你知道,他可能受到了非常巨大的诱惑,离开了这个国家,去了其它的地方。"

"这不是真的,"她又是一阵愤怒。"这是报纸试图凭空捏造的。这是你询问我时心里面一直所想的。这不是真的。他从没有这样不把他的想法告诉我就一声不响地离开过。"

"他什么也没有——告诉你?"

他再次用锐利的眼光看着她。

"什么也没有。我不知道他在哪里。我想他被绑架了,或者就像我说的,已经死了。但是如果他死了,我必须知道。我必须马上知道。我不能这样等下去了,整日胡思乱想地等待。我寝食难安。我已焦虑成疾。你不能帮助我吗?你一点也不能帮助我?"

他站起身,围着桌走着。他小声嘀咕道:

"我非常抱歉,贝特顿夫人,非常抱歉。我向你保证我们已经倾尽全力调查你丈夫失踪的事情。每天我们都能收到来自各个地方的报告。"

"来自哪里的报告?"她高声问道。"报告是怎么说的?"

他摇了摇头。

"这些报告必须进行分析、筛选和评估,但是通常我想它们最终是含糊不清的。"

"我必须知道,"她又断断续续地嘀咕。"我不能这个样子继续煎熬下去了。"

"贝特顿夫人,你非常惦记你的丈夫吗?"

"当然,我很挂念他。哎呀,我们刚刚结婚才六个月。只有短短六个月。"

"是的,我知道。你们之间——请原谅我这么问——发生过什么样的争吵吗?"

"哦,没有!"

"没有因为其他女人闹过别扭?"

"当然没有。我已经告诉你了。我们四月份才刚刚结婚。"

"请相信,我不是暗示你这样的事情可能会发生,但是我们必须把所有能够导致你丈夫出走的可能性都考虑清楚。你说他最近没有心烦意乱,或者担忧——没有紧张过——丝毫没有出现过精神失常吗?"

"不,不,没有!"

"贝特顿夫人,你知道,从事你丈夫这种职业的人的确容易紧张不安。生活在极其严格的安全保护之下。实际上"——他微笑着——"情绪很易激动、紧张是很正常的事情。"

她并没有报之以微笑。

"他和平常人一样,"她表情冷淡地说。

"他喜爱自己的工作吗? 他同你讨论他的工作吗?"

"不,他研究的东西技术性太强。"

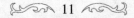

"你不认为他对自己研究的课题存在某些疑虑——担心它的破坏性,我应该这样说吗? 有时候,科学家确实有这样的感觉。"

"他从来没有透露过那种疑虑。"

"你知道,贝特顿夫人,"他向桌子探过身去,露出一种冷漠的表情,"我现在努力做的是对你的丈夫有个全面的了解。他是个什么样的人。不管怎么说,你没有能帮上我的忙。"

"但是我还能说些什么,或者做些什么? 我已经回答了你所有的问题。"

"是的,你已经回答了我的问题,大多数都是否定的答案。我想要一些积极的,具有建设性的回答。你明白我的意思吗? 当你知道一个人是什么样的人之后,你才能更好地找到他。"

她思考了一小会儿。"我明白了。至少我认为自己明白了。好吧,汤姆让人感到愉快,性情和蔼。还有,很聪明,这是当然了。"

杰索普微笑着。"那是一大串优秀的品质。让我们再找找,看他还有什么个性。他喜欢读书吗?"

"是的,读书相当多。"

"都读什么类型的书?"

"哦,人物传记。如果他厌倦了,还会读一些图书协会推荐的书目和犯罪小说。"

"实际上,他是个相当传统的读者。没有什么特别的爱好吗? 他打牌或着下棋吗?"

"他打桥牌。我们每周和埃文博士夫妇打一两次桥牌。"

"你丈夫结交的朋友很多吗?"

"哦,是的,他可是很擅长交际的。"

"我说的不是那个意思。我的意思是他是个——非常关心朋友的人吗?"

"他常和我们的一两个邻居打高尔夫球。"

"没有特别的朋友或者自己的密友吗?"

"没有。你知道,他在美国居住了那么长时间,而且他出生在加拿大。他在这里认识的人不多。"

杰索普查阅了一下胳膊肘下压着的一个纸条。

"我知道,最近有三位来自美国的人拜访过他。我这里有这三个人的名字。可以说,他最近同国外有联系的只有这三个人,这是我们能发现的。这也是为什么我们对这几个人特别留意。现在,首先谈谈沃尔特·格利菲思。他去哈威尔看过你们。"

"是的,他正好来英国访问,顺便拜访了汤姆。"

"你丈夫有什么反应吗?"

"汤姆见到他时很惊讶,但是非常高兴。他们在美国时相互非常熟悉。"

"在你看来,格利菲思是个什么样的人?说说你对他的看法。"

"但是你一定了解他的一切。"

"是的,我们了解他的一切。但是我想听听你的看法。"

她回想了一会儿。

"好吧,他是一个很严肃,说话相当啰嗦的人。对我很有礼貌,看起来非常喜欢汤姆,很迫切地把汤姆来到英国之后他们那里发生的所有事情都告诉他。我想他讲的都是些当地的闲言琐事。我对此毫无兴趣,因为他谈到的那些人没有一个我认识。总之,在他们回忆过去的时候,我去准备晚饭了。"

"他们没有谈论政治方面的问题?"

"你一直试图暗示他是一位共产主义者。"奥利芙·贝特顿的脸气得通红。"我保证他绝对不是那种人。他曾在美国政府里供职——我想是在地区检察官办公室。不管怎样,当汤姆笑着谈论关于美国政治迫害的事情时,他严肃地说我们在这里不明白那里到底怎么回事,但是政治审查是不可避免的。这说明他不是一位共产主义者!"

"好了,好了,贝特顿夫人,现在不要生气。"

"汤姆不是一个共产主义者! 我一直对你这么说,但是你不相信我。"

"是的,我相信你,但是事情的要点就要出现了。现在我们谈一谈第二个来自国外的访客,马克·卢卡斯博士。你们在伦敦的多尔塞特旅馆碰巧遇见他的。"

"是的。我们去看了一场演出,之后在多尔塞特吃晚饭。突然这个男人,叫卢克还是卢卡斯的走过来,跟汤姆打招呼。他是一位化学家,最近一次同汤姆见面还是在美国的时候。他是一位来自德国的难民,已经取得了美国国籍。但是你肯定已经——"

"我肯定知道这些？是的,我知道,贝特顿夫人。你丈夫见到他时很惊讶吗?"

"是的,非常惊讶。"

"很高兴?"

"是的,是的——我想是这样的。"

"但是你不确定?"他逼问她。

"哦,他并不是汤姆很喜欢的一个人,这件事之后汤姆告诉我的,我也就知道这么多了。"

"这只是一次很随意的会面吗?没有约定以后再安排见面吗?"

"没有,这只是一次很随意的碰面。"

"我知道了。第三个来自国外的人是一位女士,卡萝尔·斯皮德尔夫人,也是从美国来的。那次会面是怎么发生的?"

"我想,她好像是一个联合国的工作人员。她在美国认识的汤姆,到了伦敦后打电话过来说她在英国,问我们能否找个时间出来共进午餐。"

"你们去了吗?"

"没有去。"

"你没有去,但是你的丈夫去了!"

"什么!"她瞪着眼睛说。

"他没有告诉你吗?"

"没有。"

奥利芙·贝特顿看上去精神困惑、心神不安。这个询问她的男人感到一丝的抱歉,但是他的态度中没有怜悯之意。这是第一次他认为可能会取得一些进展。

"我不明白,"她半信半疑地说。"这看起来很奇怪,他不该对我瞒着这件事。"

"他们在斯皮德尔夫人居住的多尔塞特旅馆共进的午餐,是在八月十二日,星期三那天。"

"八月十二日?"

"是的。"

"是的,那天他的确去了伦敦……他什么也没有说——"她又停顿下来,然后突然问了一个问题。"她长什么样子?"

他立即很确定地回答说。

"根本谈不上是个迷人的女人,贝特顿夫人。她是一个三十多岁,事业能力很强的女人,长相一般。没有任何迹象表明你的丈夫和她之间有过任何亲密的关系。为什么他没有告诉你这次会面的情况,让我们感到很奇怪。"

"是的,是的,我明白。"

"现在仔细想一想,贝特顿夫人。在那个时候,你注意到你的丈夫有什么变化吗?我们可以说大约八月中旬的时候?那时候离这次学术会议的召开大概还有一周时间。"

"没有——没有,我没有注意到有什么变化。也没有什么可注意的。"

杰索普叹了一口气。

他办公桌子上的电话嗡嗡直叫。他拿起了听筒。

"是的,"他说。

听筒里传来的声音说:

"有个人要求见负责调查贝特顿案子的人,先生。"

"他叫什么名字?"

听筒里面的声音小心地咳嗽了一下说:

"噢,我还不能确定怎么念这个名字,杰索普先生。也许我最好拼读一下。"

"好的。继续说吧。"

他一边听着话筒,一边在记事本上潦草的记录下电话里读出的字母。

"波兰人?"他最后询问道。

"他没有说,先生。他英语说得非常好,但带一点口音。"

"让他等一下。"

"好的,先生。"

杰索普把听筒放下。然后他看了看奥利芙·贝特顿。她十分安静地坐在那里,脸上带着一种无奈和绝望的平静。他把刚刚记下名字的那一页纸从便签本上扯下来,然后推到她的面前。

"认识叫这个名字的人吗?"他问道。

看见这个名字时,她睁大了眼睛。他立即意识到她看起来很害怕。

"是的,"她回答说。"是的,我认识。他给我写信了。"

"什么时候?"

"昨天。他是汤姆第一个妻子的堂弟。他刚刚来英国。他很关心汤姆失踪这件事。他写信问我是否有什么消息——并且向我表示他最由衷的同情。"

"在这之前,你曾听说过他吗?"

她摇了摇头。

"听你的丈夫说起过他吗?"

"没有。"

"所以他可能根本不是你丈夫的堂弟吗?"

"哦,不会。我想不会的。我从来没有这么想过。"她看上去很惊讶。"但是汤姆的第一位妻子是个外国人。她是曼海姆教授的女儿。在信中,这个人看起来知道她和汤姆两人所有的事情。你知道,这封信写得非常准确和正式,而且是国式的。看起来相当真实。无论怎么说,我的意思是,如果他说的不是真话,目的又是什么呢?"

"啊,那就是人们应该时常问自己的问题,"杰索普无精打采地微微一笑。"我们在这里经常问这样的问题,连最细微的事情我们也会认为有重大意义。"

"是的,我认为你是这样的。"她突然颤抖着说。"这就像是你的这个房间一样,位于一个迷宫般的走廊中间,这就像个梦,你认为自己会永远走不出去……"

"是的,是的,我能看出这可能会有一种幽闭恐惧症效应。"杰索普高兴地说。

奥利芙·贝特顿抬起一只手,把她前额的头发向后推了推。

"你知道,我不能再忍受这样的生活了,"她说。"就这样坐着等待。我想去别的地方换个环境,打算去国外,到一个记者不会整天打电话缠着我,人们不会盯着我的地方。遇见我的朋友时,他们总是问我是否有什么消息。"她停顿了一下,然后继续说,"我想——我想我就要垮掉了。我尝试着勇敢一些,但是对我来说太难了。我的医生也这么认为。他说我应该去别的地方休息三四周。他给我写了封信。我给你看看。"

她在手提包里摸索着,拿出一个信封,从桌子上推给杰索普。

"你会明白他信中说的话。"

杰索普从信封里拿出信,开始阅读。

"是的,"他说。"是的,我明白。"

他把信又放进了信封里。

"那么——那么我可以外出休息了吗?"她的眼睛很紧张地注视着他。

"当然可以,贝特顿夫人,"他回答说。他有点惊讶,"为什么不行?"

"我想你可能会拒绝。"

"拒绝——为什么? 这完全是你自己的事情。你自己安排行程吧,当你不在这里的时候,你能和我保持联系吗? 这样有了消息就能告诉你。"

"哦,当然了。"

"你打算去什么地方?"

"去个阳光明媚,而且英国人不多的地方,西班牙或者摩洛哥。"

"非常好。我肯定这会对你很有好处的。"

她兴高采烈、满心欢快地站起来——但紧张不安的神情仍然很明显。

杰索普站起来,同她握手告别,按下了蜂鸣器叫人把她送出去。他又回到自己的椅子坐下。过了一会儿,他的脸变得和之前一样没有表情,然后他慢慢地微笑起来。他拿起了电话:

"我要见马约尔·格雷德尔。"他吩咐道。

第二章

"马约尔·格雷德尔?"杰索普说出这个名字时有点犹豫。

"很难读,是的。"这个来访者带着幽默的口气说,"你的同胞们,他们在战争期间叫我格利德尔①。在美国,我现在改名叫格林,所有人读起来都很方便。"

"你刚从美国来?"

"是的,我一周之前到的。你是——请原谅——杰索普先生?"

"我是杰索普。"

格雷德尔饶有兴致地看着他。

"那么,"他说,"我听说过你。"

"真的吗? 听谁说过?"

格雷德尔笑了笑。

"也许我们的谈话进行得太快了。在你允许我问你几个问题之前,我首先把来自美国大使馆的这封信交给你。"

他鞠躬把信送上前。杰索普拿过信,阅读了前几行

---

① Glider,意为滑翔机。

颇有礼貌的客套话，然后把它放在桌子上。他打量了一下这个来访者。他高高的个子，举止呆板，年龄大约三十几岁。金黄色的头发被齐齐地梳理成欧洲大陆流行的样式。这个陌生人说话缓慢而谨慎，尽管语法很准确，但是带着非常明显的外国口音。杰索普注意到，他没有流露出一点儿紧张或者不自信的神色。这件事本身就不寻常。来这间办公室的大多数人都会紧张不安，或者情绪激动，或者恐惧担忧。有的时候他们表现得诡诈多端，有的时候又会暴躁不安。

这是一个完全能够控制住自己情绪的男人，他面无表情，知道自己正在做什么，为什么这么做，不会被人轻易地诱骗而泄露他本不打算说出的事情。杰索普高兴地说：

"有什么能帮你的吗？"

"我来这里是想问一问有没有关于托马斯·贝特顿的消息，他的失踪看上去引起了巨大的轰动。我知道，人们是不能完全相信从报纸上读到的消息的，所以我亲自来这里求证可靠的消息。他们告诉我从你这里可以知道可靠的消息。"

"很抱歉，我们没有关于贝特顿的确切消息。"

"我想也许他可能被派往国外执行特殊的任务了。"他停顿了一下，很优雅地点了点头，"你知道，这是高度机密。"

"我亲爱的先生。"杰索普看起来有些生气。"贝特顿是一个科学家，不是一个外交家或者秘密间谍。"

"我很惭愧。但是标签不总是正确的。你会想问我对这件事为什么这么感兴趣。托马斯·贝特顿是我的一个姻亲。"

"是的。我想,你是已故曼海姆教授的外甥吧。"

"啊,你已经知道了。你这里真是消息灵通啊。"

"有人来这里,把事情对我讲了,"杰索普咕哝道,"贝特顿的妻子来过。她告诉我你给她写过信。"

"是的,为了表达我的慰问,并且询问一下是否有任何新消息。"

"你这样做很对。"

"我的母亲是曼海姆教授唯一的妹妹。他们的关系非常亲密。我小时候在华沙居住,大部分时间都在舅舅的家里住着。他的女儿埃尔莎,就像我的亲姐姐一样。当我的父母相继去世之后,我就和舅舅以及堂姐一起生活。那真是快乐的时光。然后战争爆发了,一个个悲剧和恐惧的事情发生了……这些我们就不提了。我的舅舅和埃尔莎逃到了美国。我继续留在家乡参加了地下抵抗组织,在战争结束之后,我被指派了新的使命。在此期间,我就拜访过我的舅舅和堂姐一次,唯一的一次。但是我在欧洲的任命终究有结束的一天。我打算永久地定居在美国。我希望,我能够住在舅舅、堂姐以及她的丈夫身边。但是,唉"——他摊开了双手——"我到了美国后,我的舅舅去世了,随后我的堂姐也去世了,她的丈夫来到了这个国家,然后又结婚了。我再一次没有了家庭。随后我在报纸上得知著名的科学家托马斯·贝特顿失踪的消息,于是来这里看看能帮点儿什么忙。"他停顿了一下,用询问的眼光看着杰索普。

杰索普面无表情地看着他。

"他为什么失踪了,杰索普?"

"那个,"杰索普说,"正是我们想要知道的。"

"也许你确实知道?"

杰索普饶有兴趣地欣赏着他们的角色如何这么简单地被颠倒了。在这个房间里,他习惯于问别人问题。现在这个外来者成了询问者。

杰索普仍然微笑着回答说:

"我向你保证我们不知道。"

"但是你有所怀疑吧?"

"有可能,"杰索普谨慎地说,"这件事遵循着某种规律……在这之前也发生过这样的事情。"

"我明白了。"来访者迅速列举了六个案例,"全都是科学家。"他意味深长地说。

"是的。"

"他们超越了铁幕政策的限制?"

"有这个可能,但是我们不知道。"

"但他们可能是自愿离开的?"

"即使那样,"杰索普说,"也很难说。"

"你认为,这不关我的事吗?"

"哦,别见怪。"

"但你是正确的。这件事唯一能引起我兴趣的原因就是贝特顿。"

"请你原谅,"杰索普说,"我不是很理解你为什么对这个案件这么感兴趣。毕竟,贝特顿只是你的一个姻亲。你甚至都不认识他。"

"那倒是真的。但是对于我们波兰人而言,家庭是非常重要的。这是义务。"他站起来,很僵硬地鞠了一个躬。"很抱歉我占用了你的时间,非常感谢你的招待。"

杰索普也站了起来。

"很抱歉我帮不上什么忙,"他说,"但是我向你保证我们也毫不知情。如果我有什么消息,可以联系你吗?"

"通过美国大使馆就可以找到我。非常感谢。"随后他又很恭敬地鞠了一个躬。

杰索普按下蜂鸣器。马约尔·格雷德尔走出去。杰索普拿起电话。

"让沃顿上校到我办公室来。"

当沃顿走进办公室后,杰索普说:

"事情有了进展——最终有了进展。"

"怎么了?"

"贝特顿夫人想要去国外。"

沃顿吹了声口哨。

"去和她的丈夫会合?"

"我希望是这样。她给了我一张私人医生写的便条。上面建议说她极度需要休息和换一个环境。"

"看起来不错!"

"不过,当然,可能是真的,"杰索普告诫他说,"医生的建议属实。"

"我们从来不会那样认为。"沃顿说。

"不。我必须说她在接受询问的时候非常自信。没有一点疏忽。"

"我想,你从她那里没有套出什么话来吧?"

"一个很模糊的线索。一个叫做斯皮德尔的女人和贝特顿在多尔塞特一起吃过午饭。"

"是吗?"

"他没有告诉自己妻子这件事。"

"哦。"沃顿想了想,"你认为这件事有关联?"

"可能是的。卡萝尔·斯皮德尔接受过非美国运动调查委员会的调查。她证明了自己的清白,但是同时……是的,她仍然,或者他们认为她同非美国运动仍然有联系。可能这是个线索。这是迄今为止我们唯一能找到贝特顿的线索了。"

"那贝特顿夫人那个线索呢——有没有可能最近有人联系过她并且教唆她到国外去呢?"

"她没有联系过别人。不过她昨天收到一封波兰人的来信。这个人是贝特顿前妻的一个堂弟。我刚才还问过他话呢。"

"他是个什么样的人?"

"名不副实的人,"杰索普说,"是个外国人,这一点没错。他好像了解所有的事情,个性有点古怪,不太真实。"

"你认为他是中间给她透露消息的人?"

"可能是。我不知道。他让我感到迷惑。"

"继续监视他吗?"

杰索普笑着说:

"是的。我按了两下蜂鸣器。"

"你真是只老狐狸——满脑子的鬼主意。"沃顿又变得一本正经起来,"哦,申请表上写的什么?"

"珍妮特,我想,还是以前那样。地点是西班牙,或者摩洛哥。"

"不是瑞士?"

"这次不是。"

"我认为他们在西班牙或者摩洛哥会遇到困难。"

"我们不能低估我们的对手。"

沃顿又烦躁地翻阅了一下调查报告。

"只有这两个国家没有关于贝特顿被发现的消息,"他懊恼地说,"哦,我们要全力调查。上帝啊,如果我们这次翻了船……"

杰索普向后靠在椅子背上。

"我已经很久没有休假了,"他说,"我非常憎恶这个办公室。我可能要去国外来个短期旅行……"

第三章

I

"乘坐法国航空公司飞往巴黎的108次航班的旅客,请这边走。"

希思罗机场候机大厅里的人们站起来。希拉里·克雷文提起她那个蜥蜴皮做的小旅行箱,跟随着人们向停机坪走去。温暖的候机大厅外面,寒风凛凛地吹着。

希拉里打着哆嗦,把身上的毛皮大衣拉紧了一些。她跟着其他乘客向等候的飞机走去。飞机就停在那里!她就要起程,逃离了!离开这个阴暗、冰冷、令人麻木以及难以忍受的地方。逃到充满阳光和有蓝色天空的地方,开始一个全新的生活。她就要摆脱所有的重负,把这些该死的令人痛苦和绝望的负担抛掉。她走上飞机的舷梯,进入机舱时低了一下头,乘务员把她领到座位上。她几个月来第一次有一种摆脱苦痛的感觉,而那种苦痛强烈到能够使肉体作痛的程度。"我要离开了,"她充满期待地对自己说,"我要离开了。"

飞机的轰响和发动机的转动让她非常兴奋。那轰鸣和转动声中似乎有一种原始的野性。她认为,人为的痛苦才是最痛苦的,让人感到悲凉和无望。"但是现在,"她想,"我要逃离了。"

飞机缓缓地在跑道上滑行。空中小姐说:

"请系紧安全带。"

飞机转了半个弯,停下来等待起飞信号。希拉里想,"也许这架飞机会坠毁……也许它永远不会离开地面。那么就结束了,一切事情都终结了。"停留等待这一刻仿佛已经过了很多年。等待着飞往自由的信号灯亮起来,希拉里胡思乱想着:"我永远逃不掉了,永远不能了。我将留在这里——在牢狱里度过……"

啊,终于起飞了。

飞机发动机发出了最后的一阵轰鸣声,然后开始滑行。加速,加速,不断加速。希拉里想:"它不会飞起来。它不能……这就是结局。"啊,现在看起来已经离开地面了。飞机向上升起,整个地面就像在向下跌落,轰鸣的飞机昂首向云彩飞去,所有的问题、失望和绝望都被扔到了下面。随着飞机慢慢地盘旋升空,飞机场看上去好像一个可笑的儿童玩具。滑稽的小马路,还有行驶着玩具火车的奇怪的小铁轨。这是一个荒谬的儿童世界,充满着人们的爱恋、憎恨和伤心。没有什么重要的了,因为一切都这么荒谬,这么渺小,并且无关紧要。现在云彩在他们的脚下了,一团团密集、灰白的云彩。他们现在一定飞越了英吉利海峡。希拉里靠在坐椅里,闭上了眼睛。逃脱。

逃脱。她已经离开英国,离开了奈杰尔,离开了埋葬着布伦达的那个令人伤心的小土堆。所有一切都留下了。她睁开了眼睛,长叹了口气又闭上了眼睛。她睡着了……

II

当希拉里醒来时,飞机正在下降。"巴黎!"希拉里一边想,一边从座椅上坐起来,伸手拿自己的手提包。但是这并不是巴黎。空中小姐走进机舱,用一种让一些乘客感到恼怒的保育员的口吻说:

"因为巴黎上空雾大,所以我们正降落在博韦。"

她这种口气好像在暗示:"孩子们,这不是很好吗?"希拉里从座椅边的小窗户向外窥视了一下。她看不清楚。博韦也被浓雾笼罩着。飞机在空中缓慢地盘旋。过了一会儿,飞机终于降落在机场上。乘客们排着队穿过寒冷和潮湿的薄雾,走进一座简陋的木质候机楼,里面只有几把椅子和一个长长的木质柜台。

失望笼罩着希拉里,但是她尽力地驱除它。她身边的一位男子小声说:

"一个破旧的军用机场。没有取暖设备,也不舒适。不过还是很幸运,已经到了法国了,他们会给我们提供些饮料。"

的确如此,几乎与此同时,一个拿着一串钥匙的男子出现了,给乘客们送来各种各样的酒精饮料提神。这可以帮着乘客们忍受长时间痛苦的等待。

几个小时过去了,什么事情也没有发生。又有飞机陆陆续续地穿过大雾,降落在机场上,这些飞机都是从巴黎转到这里的。很快,这里便挤满了态度冷漠和性情急躁的乘客,纷纷抱怨着这次延误。

对于希拉里而言,这次行程如此特别,让她难以置信。她仿佛仍然身在梦里,仁慈地使她不受现实的侵扰。这只是一次延误,只是一次等待。她仍然还在旅程中——她逃离的旅程。她仍然在逃离的过程中,仍然在向着那个重新开始新生活的地方前进。她稳住自己的情绪,忍耐着度过这漫长和疲倦的等待。直到夜色黑下来很久之后,有人宣布运送他们去巴黎的大客车已经到了,候机厅里一片混乱,而她的情绪依然很稳定。

随后大厅里一阵拥挤和混乱,乘客们、工作人员以及运送行李的搬运工在黑暗中急匆匆地走动,相互碰撞。最后,希拉里终于坐上了一辆大客车,她的手脚冰冷。大客车缓慢地穿过大雾,驶向巴黎。

这是一段漫长和疲惫的行程,持续了四个小时。当他们到达荣军院时已经是午夜,希拉里很感激地接过行李,乘车前往已经预订好的酒店。她身体太疲惫了,吃不下晚饭——只是洗了一个热水澡就匆匆上床休息了。

前往卡萨布兰卡的飞机原定于第二天早上十点三十分在奥利机场起飞,但是当他们抵达奥利机场时,那里一片混乱。通往欧洲很多地方的航班都停飞了，来往的航班都延误了。

在候机厅里，一位工作人员不厌其烦地耸了耸肩膀说：

"夫人，您不可能乘坐预定的那个航班了！时刻表都被更改了。如果夫人您能坐着等一会儿，大概一切就会安排妥当的。"

最后工作人员召唤她，告诉她有一架飞往达喀尔的航班还有个位子，本来这个航班不在卡萨布兰卡停机，但是今天这个情况会在那里降落。

"您将会在三个小时之后到达，就这些了，夫人，愿意再次为您效劳。"

希拉里没有反对，勉强同意乘坐这个航班。这使工作人员看起来很惊讶，无疑对她的态度感到很高兴。

"夫人您不知道我今天早上遇到了多大的麻烦，"他说。"不管怎样①，男乘客们都很不理智。并不是我造成了大雾天气！显然，这个天气造成了机场瘫痪。人们必须怀着好心情来适应这一切——我就是这么说的，然而让一个人改变计划总是不愉快的。毕竟②，夫人，耽误上一个小时，或者两个小时，或者三个小时，有什么关系呢？乘坐什么样的飞机到达卡萨布兰卡难道很重要吗！"

然而，当这个矮小的法国人说这些话的时候，他并不

① 原文为法语。
② 原文为法语。

知道在这个特别的日子,这次旅行对她的重要性要比他知道的大得多。当希拉里最终到达卡萨布兰卡,走出舱门,踏上阳光明媚的停机坪时,走在她旁边推着装满行李小推车的搬运工说:

"夫人,你真幸运,没有坐飞往卡萨布兰卡的定期航班。"

希拉里说:"为什么,发生了什么事情?"

这个人看起来多少有些不自然,但是毕竟,消息是无法封锁的。他悄悄地压低了嗓音,靠上前去。

"失事了①!"他嘀咕道。"飞机坠毁了——在降落的时候。飞行员和领航员以及大部分乘客都死了。只有四到五个人还活着,已经被送往医院了。他们当中有的人受了重伤。"

希拉里的第一反应是一种丧失理智的愤怒。几乎同时她脑子里闪过一个念头,"为什么我不在那架飞机上?如果我在的话,现在一切就结束了——我应该死了,一切摆脱了。不再感到心痛,不再感到悲伤。那架飞机上的人想活着。但是我——我不在乎。为什么死的人不是我?"

她经过例行的海关检查,带着行李乘车前往宾馆。这是一个阳光灿烂的下午,太阳快要落下了。干爽的空气和金色的阳光——一切都是她曾设想的样子。她已经

---

① 原文为法语。

到达了！她已经逃离了伦敦的尘雾、寒冷和黑暗；她已经摆脱了痛苦、犹豫和煎熬。这里有生气勃勃、充满色彩和阳光的生活。

她走进卧室，把百叶窗推开，看着外面的街道。是的，一切都是她曾经想象到的景象。希拉里缓慢地离开窗户，坐在床的一侧。逃脱，逃脱！这是自从她离开英国之后，脑子里不断重复着的念头。逃脱，逃脱。现在她知道了——带着恐惧、悲痛和冰冷的心情知道了，她是逃脱不了的。

这里的一切和在伦敦的时候一模一样。她自己，希拉里·克雷文还是一样。她想逃脱的是希拉里·克雷文这个名字的纠缠，在摩洛哥，希拉里·克雷文还是希拉里·克雷文，就像在伦敦时她是希拉里·克雷文一个样子。她小声地自言自语道：

"我曾经是多么愚蠢啊——我现在仍然很愚蠢。为什么我会认为离开英国之后，我会感觉不同呢？"

布伦达的坟墓，那个可怜的小土堆在英国，奈杰尔不久之后会在英国迎娶他的新娘。为什么她会认为到了这里后，这两件事对她不太重要了呢？根本就是一厢情愿的想法。好了，现在一切都结束了。她又要正视现实了。正视她自己正处于其中的现实，她能承受的现实，以及她无法承受的现实。希拉里想，人可以承受痛苦，只要还有承受的理由。她已经承受了长期的痛苦，她已经承受了奈杰尔的背叛以及由此导致的残酷和无情的现状。因为有布伦达的支持，她承受了这些事情。随后，陷入了拯救布伦达生命的漫长、枯燥和失败的挣扎中——最终失败了……现在没有任何值得存活下去的事情。不远万里来到摩洛哥的旅程已经向她证明了这一点。在伦敦时,她有一种奇怪和混沌的感觉,只要她能去别的地方,她就能忘记心中放不下的心思,重新开始生活。因此,她预订了来这个地方的旅程,这个同过去的生活毫无牵扯的地方,这个对她来说一切都是新奇的地方,这里还有她喜欢的美好事物:阳光、洁净的空气以及陌生的人和物。她曾认为,在这里一切都是不同的。但是没有什么不同。一切都是一样的。事实是非常单一和无法逃避的。她,希拉里·克雷文,没有任何继续活下去的愿望。一切就是这么简单。

如果不是因为大雾的阻挠,如果她已经赶上了那一架已经预订好机票的飞机,那么她的一切问题现在可能已经解决了。她可能正躺在法国官方的某个停尸房里,身体已经支离破碎,灵魂得到了安静,从痛苦中得到了解脱。好了,同样的结局也能实现,但是她必须费点事。

如果她随身带着安眠药,这一切就很简单了。她还记得,她去找格雷医生开安眠药的时候,他说话的时候带着一种相当奇怪的表情:

“最好不要服用。学会自然入睡效果更好。可能开始很困难,但是很快就能正常入睡了。”

他脸上露出奇怪的表情。那么说他已经知道了,或者已经开始怀疑她会这么做?哦,好吧,应该不是很困难。她下定决心站起来。现在,她要去一趟药店。

III

　　希拉里一直认为，在国外是很容易购买到药物的。令她十分惊讶的是，她发现情况并非如此。她去的第一家药店只卖给她两剂药。药店的人说，如果购买更多的剂量，必须出示医生的处方。她微笑着表示感谢，一副若无其事的样子，快步离开药店。这时不小心与一个高个儿男子撞了个满怀。这个男子是一个表情相当严肃的年轻人，道歉的时候说的是英语。当她离开药店时，她听到他说要买牙膏。

　　不知怎么，这让她觉得有趣。牙膏。这东西看起来是如此普通，如此平常的日用品。接着，她感到心中袭来一阵急剧的刺痛，因为他要买的牙膏正是奈杰尔以前最喜欢使用的牌子。她穿过马路，来到了对面的一家药店。当她返回宾馆时，她已经去过了四家药店。让她感到有趣的是，在第三家药店时，那个表情严肃的年轻男子又出现了，再一次很顽固地寻找他那个很特殊的牙膏品牌，显然这种牙膏在卡萨布兰卡的法国药店里是不常见的。

　　在吃饭之前，希拉里换了一身衣服，脸上化了妆，这时她的心情几乎很快乐。她有意尽可能晚些下去就餐，因为她不想遇见任何一个旅伴或者同乘一架飞机的人。其实这种情况不论如何是不可能发生的，因为这架飞机已经飞往达喀尔,她想她是飞机上唯一在卡萨布兰卡下飞机的乘客。

当她走进餐厅时,大厅里几乎空荡荡的,但是她注意到那个表情严肃的年轻英国人坐在靠墙的一张桌子旁,快要用完晚餐了。他正在阅读一张法文报纸,看上去读得很专心。

希拉里为自己点了一顿丰盛的晚餐,还有半瓶酒。她感到一种很强烈的兴奋。她心里想,"到底怎么回事,难道是最后的冒险?"然后她点了一瓶维希矿泉水送到她的房间。离开餐厅后就直接回房间了。

服务员送来了维希矿泉水,把盖子打开后放到桌子上,向她道了声晚安后离开了房间。希拉里长舒了一口气。当服务员关上房门时,她走到门口,转动房门钥匙把门锁上。她从梳妆台的抽屉里拿出了今天从药店买的四份安眠药,把纸包打开。她把药片取出来放在桌子上,给自己倒了一杯维希矿泉水。安眠药是片剂,她只要吞下药片,然后用维希矿泉水送服即可。

她脱下外衣,身上包裹上睡衣,然后又坐到了桌子旁边。她的心跳加快。现在她感到像是被恐惧笼罩着,但是这种恐惧只有一半的魔力,还没有让她害怕到放弃死亡的地步。这是最后的逃脱——真正的逃脱。她看着写字台,考虑是否留下一张纸条。她决定不留了。她没有亲戚,没有亲近或者亲密的朋友,也没有任何她想说再见的人。对于奈杰尔,她不打算让他感到毫无用处的自责和悔恨,即便她留下一张纸条就能够达到这个目的。奈杰尔可能会从报纸上知道一位叫做希拉里·克雷文的小姐在卡萨布兰卡吞食过量安眠药自杀。很可能是一小段报道。他表面上会接受这个事实。"可怜的老希拉里，"他会说，"真不走运"——很可能他会偷偷地感到相当欣慰。因为她猜测，她在奈杰尔的良心中还有一点点儿地位，而他是一个希望感到自我宽慰的人。

奈杰尔似乎非常遥远，在她心里已经不重要了。除此之外没有其它需要做的了。她要吞下药片，躺在床上睡觉。她永远不会从睡梦中醒来了。她没有，或者没有想过任何对宗教虔诚的情感。布伦达的死已经让她失去了所有信仰。也没有什么可以让她考虑和挂念的事情。就像她在希思罗机场时一样，她再一次成了一个旅行者，一个等待着前往未知目的地的旅行者，没有行李的拖累，没有告别的留恋。在她生命中，这是她第一次获得自由，彻底的自由，可以做她想做的事情。过去已经同她彻底决裂。在她清醒的时刻拖累着她的漫长的痛苦煎熬也已经过去。是的。光明、自由、无拘无束！她准备开始新的旅程。

她伸手去拿第一片药。当她正伸出手拿药时，门上传来了轻柔和镇定的敲门声。希拉里皱起了眉头。她坐在那儿，手停在半空中。是谁敲门——女服务员？不，床单已经整理好了。也许是办理文件或护照的什么人？她耸了耸肩膀。她不打算回应。为什么她要操这个心？不管是谁，现在都会走开，等有时间会再来叫门的。

敲门声又响起来，这一次声音更响了。但是希拉里没有动。不是什么要紧事,不管是谁马上就会离开的。

她的眼睛盯着门,突然变得目瞪口呆。门锁里的钥匙在慢慢地向后转动。猛地向前一跳,叮当一声掉到地板上。接着,门的把手转动了,门被打开,进来一个男子。她认出这个人就是今天购买牙膏的那个表情严肃的年轻人。希拉里盯着他。这一刻她太吃惊了,以至于不知道该说些什么或者做些什么。这个男子转过身,把门关上,从地板上把钥匙捡起来,然后把它插到门锁上,转动了一下。随后他径直走到她跟前,坐在桌子另外一侧的一把椅子上。他带着一种让她感到很不自在的语气说:

"我叫杰索普。"

希拉里的脸突然变得通红。她向前探了探身体。她用冷漠愤怒的态度说:

"我能问一下,你知道自己在干什么吗?"

他严肃地看着她——眯着眼睛。

"可笑,"他说,"我就是来问你这个问题的。"他冲着桌子上准备好的安眠药迅速地点了一下头。希拉里高声说道:

"我不知道你什么意思。"

"哦,不,你知道。"

希拉里停顿了一下,试图找话进行反击。她想说的话太多了——表达她的愤怒,命令他出去。但是很奇怪,好奇心此时占了上风。问题很自然地到达了她的嘴边,以至于她几乎没有意识到在问什么。

"那把钥匙,"她说,"在门锁里,它自己转动了?"

"哦,那个啊!"这个年轻人的脸上突然露出了孩子般调皮的笑容。他把手放到口袋里面,掏出了一个金属工具,他把这个工具递给她端详。

"给你,"他说,"非常方便的小工具。把它从门锁的另外一侧插进去,它就把钥匙夹住,然后转动钥匙就可以了。"他把工具从她手里拿回来,又放进了口袋里,"小偷用的。"他说。

"那么你是个小偷?"

"不,不,克雷文夫人,说句公道话。我的确敲门了,你知道。小偷是不敲门的。然后,当看上去你不准备让我进来的时候,我用了这个工具。"

"但是为什么这样做?"

她的这位访客的目光再一次落到桌子上准备好的安眠药上。

"如果我是你,我就不会这么做,"他说,"服用安眠药自杀并不是你想得那么简单。你认为只要躺下睡觉,然后就一觉不醒。但并不完全是那样。会出现很多不舒适的反应。有的时候出现痉挛,皮肤出现坏疽。如果你对安眠药有抵抗力,那么需要很长时间才能发挥药效,这样就有可能被人及时发现,然后各种各样不幸的事情相继发生。给你洗胃。给你灌蓖麻油、热咖啡,用力拍打和推拿。我向你保证,这一切都会使你狼狈不堪。"

希拉里向后靠在椅子背上,低垂眼皮。她稍稍握紧了双手,强迫着自己微笑起来。

"你真是一个可笑的人,"她说,"你猜想我正在自杀,或者要做类似的事情吗?"

"不仅是猜想,"这个叫杰索普的年轻男子说,"我很确定。你知道,当你走进那家药店时,我也在里面。实际上我在买牙膏。哦,他们没有我喜欢用的那种牙膏,所以我去了另外一家。又看见你在买安眠药。于是,我想这里面有些奇怪,所以我就跟着你,你知道吗。所有的安眠药是从不同的地方买的。这样只能推出一个结论。"

他的语气很友好,也很随意,让人觉得放松。希拉里看着这个年轻人,把自己的一切伪装都抛弃了。

"那么你不认为你这样试图阻止我是不合时宜的粗鲁行为吗?"

听到这儿,他思索了一会儿。然后他摇了摇头。

"不。这件事你无论如何都不能做——如果你明白的话。"

希拉里愤怒地说:"这次你能阻止我。我的意思是你可以把药片拿走——把它们扔到窗户外面或者用别的方法销毁——但是你无法阻止我再去买更多的安眠药,或者直接从宾馆的顶楼跳下去,或者卧轨自杀。"

这个年轻的男子想了想。

"不,"他说,"我同意我不能阻止你按照任何一种方式自杀。但是有一个问题,今后你是否还会这么做?比如说,明天你是否还愿意这样做呢。"

"你认为明天我就会感觉不同了吗?"希拉里带着一种微弱的痛苦的口气说。

"人是这样的。"杰索普几乎很歉意地说。

"是的,可能是的。"她想了想,"如果你处于一种冲动的失望情绪下。但是当这种情绪变成毫无知觉的失望,这就不同了。你知道,没有值得我可以活下去的事情了。"

杰索普把他那张严肃的脸转向一侧,眯起眼睛。

"有意思。"他说道。

"不是这样。根本就没有意思。我不是一个有趣的女人。我深爱的丈夫离开了我,我唯一的孩子患上了脑膜炎,痛苦地死去了。我没有亲密的朋友或者亲戚了。我也没有什么喜欢的职业和工作。"

"悲惨啊,"杰索普用表示同意的口气说道。他又有点迟疑地补充说,"你不认为这样做是——错误的?"

希拉里激昂地说道:"为什么应该是错误的?这就是我的命运。"

"哦,是的,是的,"杰索普急忙重复道,"我自己心里并没有很高的道德底线,但是你知道,有人会认为这是错误的。"

希拉里说:

"我不是那种人。"

杰索普相当没有底气地说道:

"的确如此。"

他坐在那里看着她,若有所思地眯着眼睛。

希拉里说:

"所以现在,或许先——生——"

"杰索普。"年轻人说。

"所以现在,或许杰索普先生,你能让我单独呆着。"

但是杰索普摇了摇头。

"还不行,"他说,"你知道,我本来仅仅想知道是什么原因导致你想自杀。现在我已经很清楚了,不是吗?你对生活失去了兴趣,你不想再继续活下去,你甚至是愉快地接受死亡,是吗?"

"是的。"

"很好,"杰索普高兴地说道,"那么现在我们知道谈话进展到什么地方了。让我们继续谈下去。该谈一谈安眠药了吧?"

"你这是什么意思?"

"哦,我已经告诉你了,这些安眠药不像它们听起来那么神奇。让自己从一座高楼上跳下去也不是很美妙。你不会立刻就死掉。同样,卧轨自杀也是一样的后果。我想要说的是还有别的办法。"

"我不明白你这是什么意思。"

"我向你建议其它的办法。一种光明正大的方法,真的。这种方法也非常的刺激。我直截了当地跟你说吧。你死不了的可能性微乎其微。但是我相信一旦出现这种情况,你不会反对活下去。"

"我一点儿也不明白你在说些什么。"

"你当然不知道,"杰索普说,"我还没有开始告诉你这个方法呢。我恐怕必须完完整整地给你说清楚——我的意思是,给你讲一个故事。我可以开始了吗?"

"我想可以了。"

杰索普没有在意这句赞同的回答中流露出的不情愿。他一脸严肃地讲了起来。

"在我看来,你是那种经常看报纸,了解时事的女人。"他说,"你也许已经从报纸上读到了不同的科学家相继失踪的消息。一年前,一位意大利科学家失踪了,两个月前一位叫做托马斯·贝特顿的年轻科学家也失踪了。"

希拉里点了点头:"是的,我在报纸上看到报道了。"

"哦,还有很多没有被报道过的事情。我的意思是,还有很多人失踪了。这些人不仅仅是科学家。其中有一些年轻人从事的是重要的医学研究工作。有一些是化学家,有一些是物理学者,还有一位是律师。哦,每个地方,每个领域都有很多人失踪。哦,我们这里是一个所谓的自由国度。如果你愿意,你可以离开。但是在这种特别的情况下,我们要弄清楚为什么这些人要离开,他们去了什么地方,同样很重要的是,他们是如何离开的。他们是出于自愿离开的吗? 他们被劫持了吗? 他们是在被敲诈后选择离开的吗? 他们通过什么渠道离开的——什么样的组织从中策划了这些事件,它的最终目的是什么? 我们面前摆着很多的问题。我们想得到其中的答案。或许你可以帮助我们找到那个答案。"

希拉里盯着他。

"我? 怎么帮? 为什么是我?"

"我来这里就是专门为了托马斯·贝特顿这个案子。仅仅两个月前,他从巴黎失踪了。他把妻子留在了英国。

她感到心烦意乱——或者她说自己心烦意乱。她发誓她不知道丈夫为什么会离开,或者去了哪里,或者如何走的。这些话可能是真的,也可能是假的。有些人——包括我在内——认为那不是真的。"

希拉里从椅子上向前探了探身子。不由自主地,她开始感兴趣了。杰索普继续说:

"我们不动声色地监视着贝特顿夫人,一点也没有惊扰她。大约两个星期前,她找到我,并且告诉我说她的医生建议她去国外,彻底地休息和消遣一下。在英国,她的生活无法清静,人们不断地打扰她——报社记者、亲戚、要好的朋友,让她很烦乱。"

希拉里冷淡地说:"我可以想象得到。"

"是的。很不幸。她想离开英国,出去呆一阵子,这是很正常的事情。"

"非常正常,我认为应该很正常。"

"但是你知道,在我们的部门,我们对她表示怀疑和不信任。我们安排人继续监视贝特顿夫人。昨天,她按照计划离开英国,前往卡萨布兰卡。"

"卡萨布兰卡?"

"是的——当然,这里也是去摩洛哥或其它地方的必经之路。她的旅行计划非常公开,光明正大,也提前进行了登记。但是,这趟前往摩洛哥的旅程也可能是贝特顿夫人前往那个未知目的地的幌子而已。"

希拉里耸了耸肩膀。

"我不明白我和这件事能有什么关系。"

杰索普笑了笑。

"你的确与这件事有关系,这是因为你有一头美丽的红色头发,克雷文夫人。"

"头发?"

"是的。克雷文夫人身上最引人注意的东西就是——她的头发。也许你已经听说了,今天在你之前起飞的那架飞机降落时坠毁了。"

"我知道。我本来应该坐那架飞机。实际上,我订了那架飞机的机票。"

"很有意思,"杰索普说,"哦,贝特顿夫人就在那架飞机上。她没有死。她从废墟里被救出来时还活着,现在她正在医院里。但是据医生讲,她活不过明天早上了。"

一缕微弱的光线照在希拉里身上。她一脸疑惑地看着他。

"是的,"杰索普说,"也许现在你明白我给你提供的自杀方法了吧。我建议你应该变成贝特顿夫人。"

"但是可以确定,"希拉里说,"那是非常不可能的。我的意思是,他们会立刻发现我并不是贝特顿夫人。"

杰索普把脸转向一边。

"当然了,那完全要取决于你指的'他们'是谁。这是个非常含糊的概念。'他们'是谁?有'他们'这些人吗?我们不知道。但是我可以这样告诉你。如果关于'他们'的最为通俗的解释被接受,那么'他们'一定是在非常封闭和独立的组织中工作。他们是为了自己的安全才做那些事情的。如果贝特顿夫人的旅程有目的,有计划,那么负责这件事的人对英国方面的事情毫不知情。他们会在约定的时间和地点,和某个女人取得联系,然后把接下来的事情继续下去。贝特顿夫人的护照中写着她身高五英尺七英寸,红色头发,蓝绿色眼睛,嘴巴中等大小,没有特别的识别标记。就这么多。"

"但是这里的当局。显然他们——"

杰索普笑了笑,"在这方面完全没有问题。法国也损失了几位有价值的年轻科学家和化学家。他们会进行合作的。整个情况将会这样进行:贝特顿夫人遭受到了脑震荡,被送往医院。这架飞机上的另外一位乘客,克雷文夫人也被送进了医院。一到两天之内,克雷文夫人将从医院中死亡,贝特顿夫人遭受的脑震荡冲击比较轻,可以出院继续她的旅程。飞机坠毁是个事实,脑震荡也是个事实,对你来说,患了脑震荡是很好的掩护。它可以成为很多事情的借口,比如失忆,以及各种难以捉摸的行为举动。"

希拉里说:

"这真是太疯狂了!"

"哦,是的,"杰索普说,"这是很疯狂。这将是一个非常严峻的任务,如果我们的意图被识破,你很可能会被杀死。你知道,我说的非常坦白了,但是对于你而言,你正准备,并且期待着死亡的到来。这是一种可以代替卧轨自杀或者其它自杀方法的方式,我想你会发现这样做会更加有趣。"

突然，希拉里令人出乎意料地笑了起来。

"我相信，"她说，"你说得非常正确。"

"你要接受这个任务吗？"

"是的。为什么不呢？"

"如果是那样的话，"杰索普突然一下子从座位上站起来说，"已经没有可以浪费的时间了。"

第四章

I

　　医院并不是非常的冷,但是却让人感到了寒意。空气中有一股消毒剂的味道。在外面的走廊里,偶尔会听到小推车经过时,上面的玻璃器皿和医疗器具发出的咔嚓咔嚓声。希拉里·克雷文坐在床边一个牢固的铁质座椅上。

　　在床上,奥利芙·贝特顿头上包着绷带,昏迷着躺在昏暗的光线下。在病床的一侧,站着一位护士,另外一侧,站着一位医生。杰索普坐在房间角落的一把椅子上。医生把头转向他,用法语对他说。

　　"她活不了很长时间了,"他说,"脉搏非常虚弱。"

　　"她不会恢复意识了吗?"

　　这个法国医生耸了耸肩膀。

　　"这个我不好说。可能会,是的,临死时可能会的。"

　　"没有什么可以采取的治疗措施——不能打强心针?"

医生摇了摇头。他走出房间。护士也跟着出去了。取而代之的是一位修女,她走到床前,站在那里,手指头拨弄着念珠祈祷。希拉里看着杰索普,杰索普使了个眼色,希拉里走到他身边。

"你听到医生说的话了吗?"他小声地问道。

"是的。你想对她说点什么呢?"

"如果她重新恢复意识,我想尽可能地从她那里套出点东西来,任何密码、任何标记、任何消息,任何事情。你明白了吗? 和我比起来,她更可能对你透露些信息。"

希拉里忽然很激动地说:

"你想让我愚弄一个垂死的人吗?"

杰索普像一只小鸟一样把脑袋歪向一边,这是他有时候喜欢做的动作。

"那么这样做对你来说是欺骗了,是吗?"他思考了一下说。

"是的,是这样的。"

他若有所思地看着她。

"那好吧,你就按照自己喜欢的方式办吧。对我自己而言,良心上完全过得去! 你明白吗?"

"当然明白。这是你的职责。任何你想质疑的事情你尽管问,但是不要让我这样做。"

"你是一个自由的密探。"

"还有一个问题,我们必须做出决定。我们要告诉她她快死了吗?"

"我不知道。我必须好好想一想。"

她点了点头,转身又回到病床旁边。现在,她对床上躺着的这个即将死去的女人充满了同情和怜悯,这个正在去往和自己深爱的人相会途中的女人。或者他们都错了吧？她来到摩洛哥仅仅就是为了寻找一丝安慰,安静地度过这段时光,一直到她得到关于她丈夫是死是活的确切消息为止？希拉里充满了好奇。

时间不断流逝。当修女手中念珠的咔嗒声停止的时候,差不多是两个小时以后了。她用冷漠的声音轻轻说道:

"有点儿变化,"修女说,"夫人,我想她就要死了。我去把医生叫过来。"

她离开了病房。杰索普走到病床的另外一侧,靠着墙壁站着,这样他可以在这个女人的视线范围之外。她的眼睑颤动着睁开了。苍白和冷漠的蓝绿色眼睛凝视着希拉里的眼睛。它们合上,又睁开。眼睛中露出一丝微弱的疑惑和混沌。

"哪儿……"

正当医生走进病房的时候,从几乎无法呼吸的嘴唇之间颤动着吐出了这两个字。医生握住她的手,指尖放在脉搏上,站在床边低头看着她。

"你现在在医院里,夫人,"他说道。"飞机失事了。"

"飞机失事?"

这几个字恍恍惚惚地被她用微弱和气喘吁吁的声音重复了一遍。

"夫人,您在卡萨布兰卡还有想见的人吗?有什么口信需要传达的?"

她痛苦地抬起眼睛看着医生的脸。她说:

"没有。"

她又回头看着希拉里。

"谁——谁——"

希拉里向前弯下腰,声音清晰地说:

"我也是从英国坐飞机来这里的乘客——如果有什么事情可以帮你,请告诉我。"

"不——没有事——没有事——除非——"

"什么?"

"没有事。"

她的眼睛又颤抖着,半闭上了——希拉里抬起头,目光与杰索普专横和命令式的目光相遇了。她很坚决地摇了摇头。

杰索普向前挪动了一下,紧紧地站在医生的旁边。这个垂死女人的眼睛又睁开了。突然,她认出了他们。她说:

"我认识你。"

"是的,贝特顿夫人,你认识我。你要告诉我任何关于你丈夫的事情吗?"

"不。"

她的眼睑再一次闭上。杰索普默默地转过身去,离开了房间。医生看着希拉里。他非常轻柔地说:

"一切都结束了①!"

这个垂死女人的眼睛又睁开了。它们很痛苦地扫视了整个房间,然后盯在希拉里身上。奥利芙·贝特顿一条胳膊很微弱地动了动,希拉里本能地双手握起她的那只苍白和冰冷的手。医生耸了耸肩膀,微微地鞠了一个躬,然后离开了房间。这两个女人单独呆在房间里。奥利芙·贝特顿费力地想说话:

"告诉我——告诉我——"

希拉里知道她想问什么,马上就知道自己应当如何行事了。她俯身看着这个静静躺着的女人。

"是的,"她说道,声音清楚而坚定。"你快要死了。这就是你想知道的,不是吗?现在听我说。我正尝试着找到你的丈夫。如果我找到他,你有什么话要我带给他吗?"

"告诉他——告诉他——一定要小心。鲍里斯——鲍里斯——很危险……"

她叹了口气,呼吸再一次颤抖起来。希拉里又向下俯身,靠她更近一点儿。

"你有什么对我有用处的信息可以告诉我——我的意思是,对我的旅程有帮助的事情?能够帮助我同你的丈夫取得联系的事情?

"雪。"

---

① 原文为法语。

这个字说得如此微弱，以至于希拉里感到很迷惑。雪？雪？她很不解地重复着这个字。奥利芙·贝特顿发出了微弱、像鬼魂一样的傻笑。然后用微弱的声音说：

雪，雪，美丽的雪！
你笨重地滑倒，起身继续走！

她重复着最后的字："走……走？去告诉他关于鲍里斯的事。我不相信。我本来就不会相信这件事。但是也许这是真的……如果这样，如果这样……"她盯着希拉里，眼睛中流露出一种极其痛苦的疑问，"……保重……"

她的喉咙发出了一阵奇怪的嘎嘎声。她的嘴唇抽搐了一下。

奥利芙·贝特顿死了。

Ⅱ

在接下来的五天时间里，希拉里虽然没有进行过疲惫的体力活动，但是精神上却十分紧张、劳累。希拉里把自己关在医院里一件隐秘的房间里，着手准备下一步的行动。每天晚上，她都要进行一次考试，对她白天学习的东西进行考查。所有已经了解的关于奥利芙·贝特顿个人的详细情况都被记录下来,她必须牢牢地记住。奥利芙·贝特顿居住的房子,雇用的佣人,她的亲戚,她的宠物狗和金丝雀的名字,她同托马斯·贝特顿结婚六个月以来发生的每一个细节。她的婚礼,伴娘们的名字,还有她们的着装。家中窗帘、地毯和印花棉布的样式和图案。奥利芙·贝特顿的嗜好、兴趣以及日常活动。她喜欢吃的食物、爱喝的酒。希拉里必须记住所有这一切。她对搜集来的这些看上去毫无意义的信息的巨大数量感到惊奇,她曾经对杰索普说:

"这些事情都能用上吗?"

对于这个问题,他平静地回答:

"可能用不上。但是你要把自己变得让别人相信你就是真的奥利芙·贝特顿。你要这样想,希拉里,你是一个作家。你正在创作一部关于女人的书。这个女人是奥利芙。你描述她孩提时代、少女时代的场景;你描述她的婚姻,她生活的房子。当你始终这样想的时候,她对于你就变成越来越真实的一个人。然后,你回过头再重复一遍。这次你把它写成一部自传,用第一人称进行创作。你明白我的意思吗?"她缓慢地点了点头,不由自主地被打动了。

"只有变成奥利芙·贝特顿,你才能像奥利芙·贝特顿一样处事。如果你有时间进行透彻地学习,那是最好的,但是我们没有时间了。所以我们要你死记硬背,像教育学童一样往你的脑子里灌输——像灌输一个即将参加一次重要考试的学生一样。"他继续补充道,"你有一个聪明的大脑和良好的记忆力，真是谢天谢地。"

他用冷静的目光打量着她。

奥利芙·贝特顿和希拉里·克雷文两个人的护照中外表描述几乎是一样的，但实际上，两个人的长相完全不同。奥利芙·贝特顿是一副相当普通的长相，也谈不上漂亮。她显得很倔强，但不是很聪明。希拉里的脸看起来有活力，有魅力。在黑色水平的眉毛下面，一双深陷的蓝绿色眼睛闪烁着智慧的光芒。她的嘴巴向上翘起，形成宽大浓重的线条。扁平的下巴不同寻常——雕刻家大概会觉得这张脸的棱角很有趣。

杰索普想："她身上拥有激情——勇气——大概被压抑了，但是没有熄灭。她身上还有一种坚强的乐观精神——激励着她享受生活，寻求冒险的刺激。"

"你完全可以，"他对她说。"你是一个聪明的学生。"

这个对她智力和记忆力的挑战刺激着希拉里。她现在对这项使命变得感兴趣了，热切地想获得成功。有时候，她也想过要放弃。她对杰索普流露过这种念头。

"你说我不会被发现我其实是假的奥利芙·贝特顿。你说他们不知道她长得什么样儿，除了大体知道她的特征外。但是你怎么能确定这些呢？"

杰索普耸了耸肩膀。

"我们不能确定——任何事情，但是对这类事情我们确实知道一些。看来国际上很少交流这类事情的情报，其实，这是很大的优势。如果我们在英国遇到的是一个不牢靠的环节(请注意,每个组织里都有薄弱环节),那么这个链条中的不牢靠环节对法国、意大利、德国或者任何其它地方正在发生的事情知之甚少,我们就会遇到无法克服的障碍。他们只了解整个组织中自己的那一部分——对于其它部分一概不知。同样,这也适用于我们的对手。我敢发誓,在这里活动的组织知道奥利芙·贝特顿将要乘坐这样一架飞机抵达,以及必须给她什么指示,仅此而已。你知道,这看上去好像意味着她本人并不是很重要。如果他们想把她带到她丈夫那里,那是因为她的丈夫要求他们把她带到他身边,因为他们认为如果她能和丈夫见面,他们会让他更好地工作。她在这场游戏中只是一个小卒而已。你也必须记住,这个偷梁换柱的主意只是根据情况变化使出的将错就错之计——恰好遇到了飞机失事以及你的头发颜色同她的相同这样的巧合。我们的行动计划是要监视奥利芙·贝特顿,查明她要去哪里还有如何去以及同谁接头等等。而这些情况也是另一方正在密切注视的。"

希拉里问道:

"你们以前没有尝试过这样的事情吗?"

"尝试过。在瑞士这样干过,非常不成功。就我们的主要目标而言,是失败的。我们不知道在那里是否有谁和她联络过,我们不会知道。因此联络过程一定非常简短。他们自然会意识到有人正监视着奥利芙·贝特顿。他们会事先做好完全的准备。这就需要我们比上次更准备充分地执行任务。我们会尽力超越我们的狡猾对手。"

"那么你要对我进行监视?"

"当然了。"

"怎么监视?"

他摇了摇头。

"我不会告诉你。不让你知道对你更好一些。你不会泄露你不知道的事情。"

"你认为我会泄漏消息吗?"

杰索普脸上又露出了非常严肃的表情。

"我不知道你的演技如何——谎话说得好不好。你知道,这不容易。这不是让你轻率地谈天说地。任何事情都有可能随时发生,引起麻烦。突然倒吸了一口气,在做出某些举动时出现瞬间犹豫——例如,点上一支香烟,想起一个名字或者认出一位朋友。你要能迅速掩盖自己,但是一瞬间的举动就有可能把整件事情搞糟!"

"我明白。这意味着——时时刻刻都要保持警惕。"

"完全正确。现在,你还是继续学习和记忆吧!就像重新回到校园了,不是吗?你现在对奥利芙·贝特顿的情况已经一清二楚了,我们继续下面的学习吧。"

课程继续进行:学习密码、接头时的回答以及各种特工应具备的知识。不断提出问题,反复练习,想尽办法给她出难题,为难她;假设发生某种情况,考查一下她的反应能力。最后,杰索普点了点头,声称自己对希拉里的表现很满意。

"你可以了,"他说。他像长辈一样拍了拍她的肩膀。"你是个聪明的学生。记住,有时你会觉得自己是孤独一人在行动,其实你很可能并不孤单。我是说'可能'——我不想打保票。对方也都是些狡猾的家伙。"

"如果我到了旅程的终点,"希拉里说,"那会发生什么?"

"你的意思是?"

"我的意思是当我最后同汤姆·贝特顿面对面的时候。"

杰索普冷酷地点了点头。

"是的,"他说。"那是一个危险的时刻。我只能说,在那个时刻,如果一切顺利,你应该能得到保护。也就是说,如果事情能够按照我们期待的形势发展的话;但是你可能还记得,这次行动的危险在于没有很高的生存可能。"

"你不是说有百分之一的机会吗?"希拉里冷冷地说。

"我想我们能稍微把生存的几率提高一些。当时,我不知道你是个什么样的人。"

"不,我想你不知道。"她思索着说。"对你而言,我想我只是……"

他帮她说完了这句话:"一个拥有一头引人注目的红色头发,没有勇气继续活下去的女人。"

她的脸变红了。

"那是个残酷的判断。"

"那是真实的判断,不是吗? 我不会为人们感到惋惜。首先,这是很无礼的行为。只有人们为自己感到遗

憾的时候,别人才会对他们感到遗憾。自怨自艾是当今
世界上最大的绊脚石之一。"

希拉里若有所思地说:

"我想也许你是正确的。在执行任务的过程中,当我
被人干掉,或者不管这句话应该怎么说,你会允许自己对
我感到遗憾吗?"

"对你感到遗憾? 不会。我会拼命诅咒,因为我们失
去了某个有点值得操心的人。"

"你是在恭维我了,"她禁不住高兴地说。

她继续用很务实的口气说:

"还有一件事。你说没有人会知道奥利芙·贝特顿
长的是什么样子,但是我自己要是被认出来了呢? 在卡
萨布兰卡,我一个人也不认识,但是在我乘坐的飞机上,
有和我一起来这里旅行的乘客。或者说,在这里我可能
会偶然遇到这些旅游者中的某位。"

"你不需要担心那架飞机上的乘客。和你乘坐同一
架飞机从法国起飞的乘客大多是去达喀尔做生意的人,
唯一从这里下飞机的乘客已经飞回了法国。你离开这里
后,会住进另外一家宾馆,贝特顿夫人已经在那里预订好
了房间。你要穿着她的衣服,留着和她一样的发型,脸的
两侧贴上一两块膏药会使你的面貌看起来与众不同。顺
便说一下,我们已经找来一位医生帮你做些处理,进行局
部麻醉,不会对身体有伤害,但是你必须在脸上弄几个这
次事故留下的伤疤。"

"你计划得很周全。"希拉里说。

"不得不这样。"

"你从来没有问过我,"希拉里说,"奥利芙·贝特顿在她死之前对我说过什么。"

"我理解你有些顾虑。"

"很抱歉。"

"没有关系。我要为此对你表示敬意。我本来也有这样的顾虑——但是这些并不是我打算了解的。"

"她确实对我说了些事情,也许我应该告诉你。她说'告诉他'——这是指贝特顿——'告诉他要当心——鲍里斯——很危险——'"

"鲍里斯。"杰索普饶有兴趣地重复着这个名字。"啊! 正是国外来的马约尔·鲍里斯·格雷德尔。"

"你认识他? 他是谁?"

"一个波兰人。在伦敦的时候,他来找过我。他被认为是汤姆·贝特顿的姻表兄弟。"

"被认为?"

"让我们说得更加准确一点,如果他是他自己说的那个人,那么他就是已故贝特顿夫人的堂弟。但是我们只听他自己这么说过。"

"她受到恐吓了,"希拉里皱着眉头说,"你能形容一下他吗? 我想到时候能够认出他来。"

"可以。大概是这样的。六英尺高。体重大约一百六十磅。金黄色头发——一副一本正经的表情——浅色的眼睛——一副外国人的神态——英语说得很标准,但是有明显的口音,有着一副倔强的军人气质。"

他继续说道：

"当他离开我办公室以后，我派人跟踪了他。什么事情也没有做，他直接去了美国大使馆——没错——他还给我出示了一封美国大使馆的介绍信。介绍信是他们通常出具的那种，只是一般的客套，并没有明确的实质内容。我猜测他要么乘坐某个人的汽车，要么装扮成一位侍者或别的什么人从后门溜出了美国大使馆。不管怎样，他逃脱了我们的跟踪。是的——当奥利夫·贝特顿说鲍里斯·格雷德尔很危险时，我应该说她或许是对的。"

第五章

I

在圣路易斯宾馆的小型社交沙龙里,三位女士正各自忙活着自己的事情。卡尔文·贝克夫人身材矮小丰满,一头健康的蓝色头发。她正带劲儿地写着信,不管做什么事情,她都有这样的劲头。人们一眼就能看出,她是个正在享受假期旅行的美国人。她生活富足,带着一种想要准确了解全天下一切事物的强烈渴望。

赫瑟林顿小姐坐在一把不太舒服的皇家风格的椅子上。人们也一眼就能看出,她肯定是一位正在旅行的英国人。她正在缝制一件样式怪异的老式衣服,英国的中年女士好像一直喜欢缝制这种衣服。赫瑟林顿小姐个子高挑,脖子细长,头发乱蓬蓬地梳着,总的来说带着一种在精神上对整个人类都感到失望的表情。

珍妮·马里科小姐很优雅地坐在一把直背椅子上,打着哈欠,向窗户外面张望。马里科小姐的头发被染成深金黄色,相貌一般,但是打扮得令人兴奋。她穿着别致

地狱之旅

的衣服，十分入时，不管屋子里别人正在做什么，她都不感兴趣。不管周围是些什么人，她都从内心觉得不屑一顾！她正在思考自己的性生活中发生的一个重要变化，根本没有兴趣去关心这些旅行者！

赫瑟林顿小姐和卡尔文·贝克夫人一起在圣路易斯宾馆呆了好几个晚上，彼此之间已经很熟悉了。卡尔文·贝克夫人带着美国人的友善，喜欢和每个人说话。赫瑟林顿小姐尽管也愿意结交朋友，但是只同她认为有身份地位的英国人和美国人说话。她从不和法国人说一句废话，除了那些作风正派、在餐厅里和自己家人一起用餐的过着家庭生活的人。

一位貌似成功商人的法国人往沙龙里扫了一眼，但是这种女性聚集的气氛让他感到害怕，于是带着踌躇的遗憾看了珍妮·马里科小姐一眼后又出去了。

赫瑟林顿小姐开始低声数编织的针数。

"二十八、二十九——现在我织到哪地步了——哦，我知道了。"

一位高个儿的红发女子向房间里面看了看，犹豫了一下后，顺着走廊进了餐厅。

卡尔文·贝克夫人和赫瑟林顿小姐立即警惕起来。贝克夫人从写字台后面绕了出来，声音颤抖着小声说：

"赫瑟林顿小姐，你注意到刚才往里面看的红发女人了吗？他们说她是上周那起可怕的空难中唯一的幸存者。"

"我看见她今天中午到的，"赫瑟林顿小姐兴奋地放下手里的衣针说道，"坐着救护车来的。"

"直接从医院过来的，经理这么说的。我现在感到好奇的是，这么快离开医院——是不是很明智。我相信，她患了脑震荡。"

"她的脸上还贴着橡皮膏——或许是被玻璃划破的。她没有被烧伤真是万幸。我相信，这起空难中很多人都遭受了严重的烧伤。"

"真不敢去想这件事。可怜的年轻女人。我想知道她的丈夫是不是与她同行，他是否死了？"

"我想不会的，"赫瑟林顿小姐摇了摇长了一头黄白头发的脑袋，"报纸上说了，只有一位女性乘客。"

"是这样的。报纸上还登了她的名字。贝弗利夫人——不对，是贝特顿夫人，就是这个名字。"

"贝特顿，"赫瑟林顿夫人思忖着说，"现在，这个名字让我想起了什么？贝特顿，在报纸上看见过这个名字。哦，天哪，我肯定就是这个名字。"

"皮埃尔见鬼去吧，"马里科小姐用法语自言自语地说道，"他真叫人无法忍受。但是小朱尔斯不一样，他真是讨人喜爱。而且他的父亲在社会上有声望，有地位。我最后决定了。"

迈着缓慢优雅的脚步，马里科小姐走出了这个小沙龙，从我们的这个故事中消失了。

II

托马斯·贝特顿夫人在飞机失事后的第五天离开了医院。一辆救护车把她送到了圣路易斯宾馆。

贝特顿夫人的脸上贴着膏药，打着绷带，看上去苍白，充满了痛苦。她立即被领到了已经预订好的房间里，一位富有同情心的经理紧紧地跟在她身边随时伺候着。

"夫人，您一定经历了痛苦的打击！"在温柔地询问过为她预留的房间是否满意之后，他一边把所有不必要的电灯打开，一边说，"但那真是九死一生啊！真是个奇迹！运气真好！我知道，只有三个幸存者，其中一个还处于危险的状态中。"

希拉里疲倦地坐到椅子上。

"是的，的确如此，"她低声咕哝道。"我自己简直不敢相信。甚至到现在为止，我几乎什么也想不起来了。我对空难发生前二十四个小时发生的事情一片模糊。"

这位经理很同情地点了点头。

"啊，是的。这是脑震荡导致的结果。我的一个妹妹也患了脑震荡。在战争期间，她住在伦敦。一个炸弹飞过来，她被炸的丧失了意识。但是现在，她从床上起来了。她在伦敦闲逛。她从尤斯顿坐上火车,你能想到吗[1]!她在利物浦清醒过来。她无法记起任何关于炸弹、在伦敦闲逛、登上火车以及来到利物浦这些事情!她能记住的发生的最后一件事情是,当她在伦敦时,把一件衬衣挂在了衣柜里。这些事情真是令人感到惊奇,不是吗?"

希拉里表示同意。经理鞠了一个躬,马上离开了。希拉里站起来,看着镜子里面的自己。她现在如此沉浸在这个新人物当中,以至于她真地感到四肢无力,这对于任何经历了严重磨难后,从医院治愈出院的人而言是很正常的。

她已经在旅馆服务台查询了一番,但是没有发现任何信息或者信件。在她的新角色里,刚开始不得不在黑暗中摸索。奥利芙·贝特顿也可能被告知了某个联系电话,或者某个在卡萨布兰卡的联系人。至于这些,根本没有线索。所有她能够指望的信息只是奥利芙·贝特顿的护照、信用卡和库克斯旅行社的票卷本。这上面注明她在卡萨布兰卡住两天,在非斯住六天,在马拉喀什住五天。当然,这些预定的日期现在已经过期了,必须相应地处理一下。护照、信用卡和随身的身份证明已经做过处理了。护照上的照片现在是希拉里的,信用卡上的签名是用希拉里的笔迹签上的奥利芙·贝特顿的名字。她的

---

① 原文为法语。

地狱之旅

证明已经全部准备就绪。她的任务就是充分地扮演她的角色，耐心等待。她手中的王牌就是飞机失事以及由此造成的记忆力丧失，脑子处于混乱状态。

飞机失事是真实的事件，奥利芙·贝特顿当时真的在飞机上。遭受脑震荡这个事实足以把她未能采取任何措施来获得指示这件事掩盖过去。现在，奥利芙·贝特顿在困惑、茫然以及不坚定中等待着命令。

现在能做的事情自然是休息。于是她躺在床上。在两个小时里，她脑子里回忆了所有她先前学过的东西。奥利芙的行李已经在空难中毁坏，希拉里只带着医院里提供的几件东西。她用梳子梳理了一下头发，嘴唇上抹了点儿口红，然后下楼去宾馆的餐厅吃饭。

她注意到，她引起了别人的极大兴致，好奇地看着她。有几张桌子上坐着些生意人，这些人几乎不屑于看她一眼。但是其它几张桌子上显然坐满了游客，她意识到他们正在小声地议论她。

"那个女人来了——红色头发的那个——天哪，她是空难中的一位幸存者。是的，被救护车送过来的。她来的时候，我看见了。她看起来还是很虚弱。我感到奇怪，他们怎么这么早就让她出院。真是一次可怕的经历。大难不死，真是幸运！"

用过餐之后，希拉里在小型的社交沙龙里坐了一会儿。她想看看是不是有人会以某种方式接近她。房间里稀稀拉拉地坐着一两个女人。不久之后，一位个子矮小、体形丰满、长着一头健康的蓝白色头发的中年妇女走到

68

她旁边的位子上坐下了。她用一口清脆愉快的美国口音打开了话匣子。

"我真希望你能原谅我,但是我只是觉得我必须说点什么。你就是从那天的空难中令人难以置信地逃脱的幸存者,是不是?"

希拉里放下了手中正在阅读的杂志。

"是的,"她说。

"天哪!真是可怕啊。我是说那场空难。只有三个幸存者,他们说的。是不是啊?"

"只有两个,"希拉里说。"三个人当中有一个在医院里死了。"

"天哪!不要说了!现在,如果你不介意我问你,你是怎么称呼……"

"贝特顿。"

"哦,如果你不介意我问你,你当时坐在飞机什么位置?你坐在靠前的部位,还是机尾附近?"

希拉里知道这个问题的答案,立刻进行了回答。

"在机尾附近。"

"他们总是说,可不是吗,那里是最安全的位置。我总是坚持坐在靠近飞机后舱门的位置。赫瑟林顿小姐,你听人这样说过吗?"她转过脑袋,把另外一位中年女人拉进了谈话中。这个女人是个标准的英国人,长了一张长长的、难看的马脸。"就像我那天说的一样。不管你什么时候坐飞机,可千万不要让空中小姐把你直接带到机头的地方。"

"我想还是有人要坐在前面的。"希拉里说。

"哦,但我不会坐在前头,"她的这位新认识的美国朋友立即说道,"顺便介绍一下,我叫贝克,卡尔文·贝克夫人。"

希拉里谢过她的自我介绍。贝克夫人接过话茬,很容易地一人包办了谈话。

"我刚从莫加朵到这里,赫瑟林顿小姐刚从丹吉尔过来。我们是在这里认识的。贝特顿夫人,你要去马拉喀什游玩吗?"

"我已经安排好了游览计划。"希拉里说,"当然,这次飞机失事完全打乱了我的时间安排。"

"哦,那是当然,我明白。但是你真的不必为没有去成马拉喀什感到遗憾,赫瑟林顿小姐,你不是也这么认为吗?"

"马拉喀什的消费真是太贵了,"赫瑟林顿小姐说,"令人难以承受的旅行开销让你做什么都很困难。"

"那里有一家很棒的宾馆,马穆尼亚宾馆,"贝克夫人继续说。

"贵得要命,"赫瑟林顿小姐说,"对我来说住不起。当然,对你就不同了,贝克夫人——我的意思是,你有美元。但是有人给我介绍了一家小宾馆,真的又好又干净,据说食物也很不错。"

"贝特顿夫人,你还准备去哪里?"卡尔文·贝克夫人问道。

"我要去非斯一趟,"希拉里很谨慎地说,"当然,我不得不重新预定宾馆。"

"哦,是的,你当然不应该错过非斯或者拉巴特这两个地方。"

"你去过吗?"

"还没有。我马上就准备去,赫瑟林顿小姐也有这个打算。"

"我相信这座古老的城市还保存得很完整。"赫瑟林顿小姐说。

这段谈话又断断续续地持续了一段时间。然后希拉里称自己刚出院,感到疲倦,告辞后上楼回房间了。

这一晚她什么决定都没有做。这两个同她聊天的女人是如此钟爱旅行,她简直不敢相信,除了看上去的样子,她们还能是什么样的人。她决定了,如果明天还没有收到任何消息或者取得什么联系的话,她就亲自去库克斯旅行社,预定一下非斯和马拉喀什的宾馆。

第二天早晨,没有任何书信、消息或者电话。大约十一点钟左右,她起程去了旅行社。很多人在排队等候,当轮到她办理业务,刚要同办事员讲话,就被打断了。一个戴眼镜的老办事员把年轻的办事员挤到一边。他透过眼镜冲着希拉里微笑。

"贝特顿夫人,是不是? 我已经把你的一切预定手续都办理好了。"

"我恐怕,"希拉里说,"它们已经过期了。我中间住院……"

"啊,但是对于我来说①,我知道这些情况。夫人,我要祝贺你从空难中逃生。但是我接到你的电话留言,知道你重新进行了预定,我们已经为您准备好了。"

希拉里感到自己的脉搏有点微微加快。她不知道谁给旅行社打过电话。这很显然,奥利芙·贝特顿的旅程安排始终受到监视。她说:

"我不能确定他们打过电话没有。"

"但的确是准备好了,夫人。都在这里,您看。"

他拿出了火车票和预定宾馆的凭证,过了一会儿工夫,账目结好了。希拉里将于第二天动身前往非斯。

卡尔文·贝克夫人没有在宾馆的餐厅里吃午饭和晚饭。赫瑟林顿小姐去吃了。希拉里从她身边经过时给她鞠躬致意,她向希拉里还了礼,但是没有打算和她讲话。第二天,希拉里买了一些必要的衣服和内衣后,就乘坐火车前往非斯。

Ⅲ

就在希拉里离开卡萨布兰卡的那一天,卡尔文·贝克夫人像往常一样活泼地走进了宾馆。赫瑟林顿小姐上

---

① 原文为法语。

前和她搭话,她那瘦削的鼻子因兴奋而颤抖着。

"我想起关于贝特顿这个名字的事情了——一位失踪的科学家。报纸上都登了。大约两个月之前失踪的。"

"哦,现在我也想起来了。一位英国科学家——是的——他本来是在巴黎参加某个学术会议的。"

"是的——正是如此。现在我想知道,你认为——她有没有可能是他妻子。我去宾馆前台查过,她登记的地址是哈威尔——哈威尔,你知道,那里是原子试验站的所在地。我认为所有的原子弹都非常邪恶,钴——在颜料盒子里是多么漂亮的一种颜色,我小时候用过很多这种颜色;最糟糕的是,我知道没有人能从钴中毒中逃生。我们不应该做这些试验。前几天,有人告诉我,她的堂弟——一个很精明的人说过,这个世界可能会遭辐射而灭亡。"

"天哪,天哪。"卡尔文·贝克夫人说。

第六章

尽管卡萨布兰卡这个法国式的小城一片繁荣景象，但是大街上除了有熙熙攘攘的人之外，丝毫没有东方的神秘感，这让希拉里感到茫然和失望。

外面的天气还是非常好，阳光普照，万里无云。列车向北行驶，一路上她享受着列车外疾驶而过的风光。她的对面坐着一位矮小的法国男子，看起来是个旅行推销员。在远处的角落里坐着一位表情不以为然的修女，她正在数着念珠祷告。车厢里还有两个带着一大堆行李的摩洛哥女士，正在愉快地聊天。对面的小个儿法国人为她点着了一支香烟，马上攀谈起来。他给她指出车窗外经过的名胜古迹，告诉她很多关于这个国家的逸闻趣事。她发觉这个男子风趣、聪明。

"你应该去拉巴特，夫人。不去拉巴特可是一个很大的错误。"

"我会尽力去一趟。但是我没有太多的时间。除此之外，"她笑了笑说，"钱也不够。你知道，我们到国外只能带这么多钱。"

"但是这个问题很好解决。找个当地的朋友帮忙就可以了。"

"恐怕在摩洛哥，我没有这种方便的朋友。"

"夫人,你下一次旅行的时候,跟我说一声。我把名片给你。我会安排好所有的事情。我经常去英国出差,你在那里还给我就可以。这很简单。"

"您真是太好了,我希望我会再次来摩洛哥旅行。"

"夫人,从英国来到这里,对你来说变化一定很大。英国的气候非常寒冷、多雾,很讨厌的。"

"是的,变化很大。"

"对我来说,也是的。三周前,我从巴黎来到这里。那时巴黎整天下雾、下雨,糟糕透了。来到这里,整天阳光明媚。尽管如此,还是要当心寒冷的空气。但是很干净。非常干净的空气。你离开英国时,天气如何?"

"和你说的一样,"希拉里说。"多雾。"

"啊,是的,现在是多雾的季节。雪呢——今年下雪了吗?"

"没有,"希拉里说,"一直没有下过雪。"她感到很有趣,很想知道这个经常出差的小个儿法国人是否认为跟英国人交谈的最好话题应该是谈论些天气问题。她问了他一两个关于摩洛哥和阿尔及尔政治局势的问题,他很欣然地回答了,表现出自己消息十分灵通。

希拉里往角落里扫了一眼,发现那位修女的眼睛不以为然地盯着她。两位摩洛哥女士下车了,又上来了一些旅行者。当他们到达非斯的时候,已经是夜晚了。

"夫人,让我来帮你吧。"

希拉里站在那里,站台上的繁忙和喧闹让她不知所措。阿拉伯的搬运工正从她的手里抢夺行李,大声叫嚷着给她推荐宾馆。她转身对这位新认识的法国朋友表示感谢。

"夫人,您要去吉美宫旅馆,是吗①?"

"是的。"

"好的。您知道,离这里有八公里远。"

"八公里?"希拉里感到惊愕。"那么不是在城里了。"

"它在老城区,"法国人解释道,"至于我,我住在商业新城的宾馆里。但是在假日、休息和享受生活时,自然要到吉美宫去。你知道,那里以前是摩洛哥贵族的居住区。那里有美丽的花园,从花园就可以直接进入保存完好的非斯古城。看起来宾馆没有派车来接站,如果您愿意,我给您叫一辆出租车。"

"您真是太好了,但是……"

这位法国人用流利的阿拉伯语同搬运工说了几句话,不久希拉里就坐上了一辆出租车,她的行李也被搬上了车,法国人告诉她该给这个贪婪的搬运工多少钱。当阿拉伯搬运工们抗议支付的工钱不够多时,他又用几句严厉的阿拉伯语把他们驱散了。他突然从口袋里掏出一张名片递给了她。

"我的名片,夫人,不管什么时候需要我帮忙,尽管告诉我。我会在格兰德宾馆住四天。"

---

① 原文为法语。

他脱帽致敬后就离开了。希拉里低头看着名片,在离开灯火通明的车站之前,她只看见了一行字:

亨利·洛里耶先生

出租车迅速地驶出城镇,穿过乡村,爬上了一个小山坡。希拉里努力地向车窗外面张望,看一看她到哪里了,但是夜幕已经降临。一路上除了看见一座座亮着灯的建筑物外,什么都看不见。也许从这里开始,她的旅程便脱离了正常的轨道,进入了不明之地?洛里耶先生是那个劝说托马斯·贝特顿离开自己的工作、家庭和妻子的组织派来的使者吗?她焦虑和紧张地坐在出租车的一个角落,正想着车会把她带到哪里。

然而出租车毫无差错地把她送到了吉美宫。她下了车,穿过一座拱形门,激动兴奋地发现自己来到了一个具有东方风情的地方。里面布置着长沙发座椅、咖啡桌和当地的地毯。从前台登记后,她被领着穿过了几间相互连接的房间,走进一个内院,道路两旁种着橘子树和散发着芳香的鲜花,然后她爬上一条盘绕的楼梯,走进了一个温馨的房间,房间也是东方情调的,但安装着二十世纪的旅行者必需的现代设施。

服务员通知她晚饭七点半开始。她打开行李,洗了一把脸,梳好头发,穿过长长的具有东方风情的吸烟室,走下楼梯,来到内院,穿过院子,登上了几级台阶,径直走进灯火通明的餐厅。

晚饭很好吃。希拉里用餐时,各式各样的人从餐厅里进进出出。这个晚上,她太累了,没有精力顾及他们并对他们加以分类,但是一两个特别显眼的人引起了她的注意。有一位上了年纪的人,脸色发黄,留着山羊胡子。她注意到他是因为所有的侍者对他都表示出毕恭毕敬。他只要稍微一抬起头,餐盘便立即被拿来摆放到他面前。他的眉毛稍微一动,一位侍者就马上跑到他的桌子前面。她很好奇,想知道这个人是谁。大部分就餐的人显然享受着快乐的旅行生活。中间的大桌子旁坐着一位德国人。还有一位中年男子带着一位金发的漂亮女孩,她想他们可能是瑞典人或者是丹麦人。有一个带着两个孩子的英国家庭,还有几群不同旅行团的美国游客,另外还有三家法国人。

吃过饭之后,她坐在内院里喝咖啡。天气有点冷,但不是让人不能忍受,她沉浸在鲜花的芬芳馥郁之中。然后她早早就上床休息了。

第二天早上,她坐在内院里,头顶上红色条纹的遮阳伞帮她遮挡着阳光,希拉里感到这一切真是奇妙。她坐在那里,假装一个死去的女人,期待着戏剧性和不寻常的事情发生。可怜的奥利芙·贝特顿来国外也许就是为了想让自己从忧愁的思绪和感情中解脱出来,这难道没有可能吗?很可能这个可怜的女人和每个在黑暗中煎熬着的人一样。

当然,她死前说过的话完全可以做出一个很合乎常理的解释。她想让托马斯·贝特顿警惕一个叫鲍里斯的

家伙。她的脑子里胡思乱想——她引用了一句很奇怪的
诗文——她接着说她起初不能相信。不能相信什么呢？
可能是指托马斯·贝特顿被人拐走了。

看不出有什么阴险的含意，也没有有用的线索。希
拉里盯着下面的梯台花园。这是个美丽的地方，美丽而
安静。孩子们叽叽喳喳地在花园里跑来跑去，法国妈妈
叫住他们，责备他们。金黄头发的瑞典女孩走进来，坐在
一张桌子旁，打着哈欠。她拿出一支淡粉色的口红，在已
经精心涂抹过的嘴唇上涂抹了起来。她严肃地打量着自
己的脸，微微皱起眉头。

过了一会儿她的同伴——希拉里想可能是她的丈
夫，或者也可能是她的父亲——走到她身边。她面无表
情地同他打了个招呼，然后向前探着身子和他说话，似乎
在规劝他什么事情。他先是反对，后来又表示道歉。

脸色发黄、留着山羊胡子的老人从下面的花园里来
到内院。他走到一张靠着墙壁的桌子旁坐下。一位侍者
立即跑上前去。他对侍者做了吩咐，侍者鞠躬后匆匆忙
忙地去执行了。金发女孩兴奋地挽着同伴的胳膊，朝着
这位上了年纪的人看过去。

希拉里叫了一杯马提尼，当侍者送过来的时候，她小
声问道：

"那个靠着墙坐着的老人是谁？"

"啊！"侍者戏剧性地向前探了探身子说，"那位是阿
里斯蒂德先生。他极度——嗯，是的，极度——富有。"

一想到这么巨大的财富，他禁不住叹了口气，希拉

里看着远处蜷缩在桌子旁的那个弯曲身影。这样一个满脸皱纹、身体干瘪的佝偻老头。然而，因为他的巨大财富，侍者们带劲儿地快速地为他服务，同他说话时也带着敬畏。阿里斯蒂德先生挪了挪位置。霎时，他的眼睛同她的目光相遇了。他看了她一会儿，然后挪开了眼神儿。

"并没有那么让人觉得瞧不上，"希拉里心里想，"他的两只眼睛，即使从这么远看过来还是散发着智慧和活力。"

金发女孩和她的同伴从桌子旁边站起来，走进了餐厅。这位看起来认为自己是希拉里的向导和顾问的侍者走过来收拾杯子。他在希拉里的桌子旁边停下来，又给她提供了点信息。

"这位先生①，他是来自瑞典的一位大富豪，非常有钱，非常有地位。和他在一起的女士是一位电影明星——他们说她是另一位嘉宝②。非常时尚——非常妩媚动人——但是她一直跟他大吵大闹！没有什么东西能取悦她。怎么说呢，她厌倦了在非斯这个地方，这里没有珠宝店——也没有羡慕和嫉妒她的梳妆打扮的女人们。她请求他明天带她去更有意思的地方去。啊，原来有钱人也不是总能够享受心灵的宁静与平和的。"

说完最后一句富有寓意的话之后，他看见有客人伸

---

① 原文为法语。
② 嘉宝：瑞典裔的美国著名影星。

手招呼,就马上跑了过去。

"先生?"

大多数人已经去吃午饭了,但是希拉里早饭吃的比较晚,还不着急吃午饭。她又要了一杯喝的。一位长得帅气的法国人从酒吧里走出来,穿过内院,迅速谨慎地扫视了希拉里一眼,毫无掩饰,似乎在说:"真奇怪,这里有事情发生吗?"然后他走下台阶来到内院。一边走,一边半唱半哼着法国歌剧的一个段子:

> 戴着玫瑰红色的桂冠,
> 梦想着温馨。

这段唱词在希拉里的脑子里浮现出了一个图案。"戴着玫瑰红色的桂冠",桂冠①。洛里耶?这里面出现了火车上遇见的那位法国人的名字。这里面有什么联系或者只是巧合吗?她打开了手提包,找出他给她留的名片。亨利·洛里耶,新月路3号,卡萨布兰卡。她把名片翻过来,背面好像有铅笔写过的痕迹。好像在上面写过什么东西,然后又被抹掉了。她尝试着辨别写的是什么。"在何处,"开头是这样写的,后面的笔迹她就看不清楚了,最后她便认出是"丹坦"一词。刚才她还认为可能是条信息,但是现在,她摇了摇头,把名片放回手提包里。

---

① 法语中的"Laurier"为"桂冠"之意,发音为"洛里耶"。

肯定是他曾经往上面写过一些引用的话,然后涂抹掉了。

一个人影遮住了她,她抬头一看,吃了一惊。阿里斯蒂德先生站在她旁边,挡住了太阳光。他的眼睛没有看她而是越过下面的花园,眺望着远处山冈的轮廓。她听到他叹了一口气,然后突然转身朝餐厅走去,他离开时,他的大衣袖子碰倒了她桌子上的玻璃杯,玻璃杯掉到地上摔碎了。他迅速转过身,很有礼貌地道歉。

"啊。请您见谅,夫人①。"

希拉里微笑着用法语告诉他没有关系。他轻快地弹了一下手指头,叫来一位服务员。

这位服务员像往常一样跑步过来。老人为夫人又点了一杯喝的,然后再次道歉后,向餐厅走去。

这位年轻的法国人又哼着歌,出现在台阶上。当他经过希拉里的身边时,很引人注目地停留了一下,但是她没有做任何手势,于是他轻微地耸了耸肩膀,去餐厅吃午饭了。

一家法国人正穿过内院,父母招呼他们的孩子。

"到这边来,你在干什么?快点过来。"

"别玩球了,亲爱的。我们吃午饭去。"

他们登上台阶,走进了餐厅,真是一个生活美满的小家庭。希拉里突然感到孤独和恐惧。

服务员为她端来了喝的。她问他阿里斯蒂德先生是

---

① 原文为法语。

否是独自一人在这里。

"哦,夫人,很显然,任何像阿里斯蒂德这样富有的人是不会自己出来旅行的。他还带着他的贴身男仆、两位秘书和一位司机。"

服务员对于阿里斯蒂德先生没有旅伴这种想法感到相当震惊。

然而,当她走进餐厅进餐时,希拉里注意到,这位老人还是像前一天晚上一样自己一个人坐在桌子旁。在旁边的一张桌子上坐着两个年轻人,她想他们可能是他的秘书,因为他们当中一个或者另外一个人一直保持着警惕,不时地朝阿里斯蒂德先生的桌子看一看。而满脸皱纹、一副猴子模样儿的阿里斯蒂德先生吃着自己的午餐,看起来并没有注意他们的存在。很显然,阿里斯蒂德并没有把秘书当人看!

整个下午就像做梦一样迷迷糊糊地度过了。希拉里顺着一层层梯台走下来,漫步到花园。花园的寂静和美丽好像让人十分惊讶。飞溅的流水、金色橘子的光泽,还有无尽的芬芳阵阵扑鼻。这种远离尘世的东方气息让希拉里感到非常惬意。这个幽闭的花园就像我的姊妹、我的配偶……一个花园意味着一个同尘世隔绝的地方——充满了绿色和金色。

希拉里想,如果我能呆在这里。如果我能一直呆在这里……

这不是她脑子里想象的那个真正的吉美宫花园,它只是代表了一种心态。当她不再寻找宁静的时候,反而找到了它。而当宁静降临之时，正是她致力于冒险和处在危险之中的时候。

但是或许没有危险和冒险……也许她能在这里呆上一阵子，什么事情也不会发生……然后……

然后——发生什么呢？

一阵微微寒风吹来，希拉里迅速地颤抖了一下。你漂泊到安静生活的花园里，但是最终你会被它误入歧途。世界的混乱，生活的严酷、遗憾和绝望，所有这些她都在内心默默地承受着。

已经接近傍晚了，太阳光线也减弱下来。希拉里登上一层层的梯台，回到了宾馆里。

在那张摆放在阴暗角落的东方风格的长沙发上，有人坐在那里愉快地侃侃而谈。希拉里的眼睛被吸引到那个黑暗的角落里，看到了卡尔文·贝克夫人，她的头发新染成了蓝色，面容还是和以前一样白嫩。

"我刚刚坐飞机到了这里，"她解释说，"我只是受不了坐火车——受不了它们耗费的时间！火车上的人很不注意卫生！在这些国家里，根本没有讲卫生的意识。我的天哪，你应该见过露天市场卖的肉吧——上面被苍蝇覆盖着。他们好像认为苍蝇落在任何东西上都是很正常的事情。"

"我想这是真的。"希拉里说。

卡尔文·贝克夫人不会允许别人说出这种异端的话来。

"我是洁净食品运动的一位忠实信徒。在我们美国，每样容易腐烂的食物都被加上保鲜膜——但是即使在伦敦,你们吃的面包和蛋糕也都裸露在外面。现在给我说一说,你四处逛了逛吗?我想,你今天逛了这个古城?"

"我恐怕什么事情也没有做,"希拉里微笑着说,"我刚才一直坐着晒太阳。"

"啊,当然——你刚刚出院。我忘记了。"显然,卡尔文·贝克夫人只会认为最近生病才是无法进行观光的唯一理由。"我怎么这么傻呢?哎呀,你做得很对,患了脑震荡后,一天大多数时间里都应该躺在房间里面休息。不久以后,我们就能一起出去旅行了。我是一个喜欢把一天都塞得满满的人——每件事都计划好、安排好。每一分钟都排满。"

就希拉里现在的心情而言,这听起来就像预示着下地狱,但是她祝贺卡尔文·贝克夫人有这么旺盛的精力。

"哦,我要说对于我这个年纪的女人,我到处旅游,我从没有感到过疲惫。你还记得在卡萨布兰卡认识的赫瑟林顿小姐吗?一位脸长长的英国女人。她今天晚上到达。她更喜欢坐火车,而不是乘飞机。宾馆都住了些什么人?大多是法国人,我想。很多度蜜月的情侣们。现在我必须走了,去看看我的房间。我不喜欢他们为我准备的那个房间,他们答应给我换一间。"

卡尔文·贝克夫人离开了,还带起了一阵微微的旋风。

那天晚上,当希拉里走进餐厅时,她第一眼就看见赫瑟林顿小姐正坐在靠墙的一张小餐桌上,吃着晚餐,面前还放着一本方坦纳公司出版的书。

这三位女士晚饭后一起喝咖啡，当赫瑟林顿小姐看见瑞典富豪和金发电影明星时，兴奋之情难以抑制。

"我想，还没有结婚，"她呼着气，带着一种不赞成的口吻说，以便掩饰自己心中的喜悦。"在国外总是能见到那种事情。靠窗户的桌子上坐着的法国家庭看起来很美满。孩子们看起来很喜欢他们的爸爸。当然，法国孩子们被允许熬夜到很晚。他们有时候十点以后才上床睡觉，他们会享用菜单上的每道菜，而不是只食用孩子们应该食用的牛奶和饼干。"

"这种生活方式让他们看起来很健康。"希拉里笑着说。

赫瑟林顿摇了摇头，大声地反对。

"他们以后就会付出代价，"她冷漠地预言道，"他们的父母甚至让他们喝酒。"

没有比这更可怕的事情了。

卡尔文·贝克夫人开始筹划第二天的安排。

"我想我不会去古城，"她说，"上次我已经彻底游览过了。非常有意思，就像一个错综复杂的迷宫，你明白我的意思吧。这么奇怪和古老的地方。如果没有导游引导，我想我不会找到回宾馆的路。你会失去你的方向感。但是那个导游很棒，告诉我了很多有趣的事情。他有个弟弟生活在美国——我想他说是在芝加哥。然后，当我们游览结束后，他带我去了当地一家茶餐厅，正好坐落在山脚下，可以俯瞰整个古城——真是奇迹般的景色。我不得不喝下那种可怕的薄荷茶，当然真的很难喝。他们想让我买各种各样的东西，有一些确实很好，但是有一些是垃圾。我发现，人必须要非常有主见。"

"是的，的确如此。"赫瑟林顿小姐说。

她非常热切地补充道："当然，不能乱花钱买纪念品。随身所带现金数量受到限制真让人烦恼。"

第七章

I

希拉里很不希望在赫瑟林顿小姐沉闷的陪同下游览非斯古城。幸运的是后者在贝克夫人的邀请下一同坐车出去游览了。因为贝克夫人很明确地表示她要支付车费,旅游经费捉襟见肘的赫瑟林顿小姐很热切地接受了邀请。在服务台咨询过后,希拉里雇了一位导游,启程前往非斯城游览。

他们离开旅馆的内院,沿着梯台花园走下去,到了城墙底部的一个大门前。导游拿出一把巨大的钥匙,打开锁,门缓慢地开了,导游示意希拉里走进去。

这就像步入了另外一个世界。她被非斯古城的城墙包围了。狭窄又蜿蜒的街道,偶尔她可以通过门道瞥见一个屋子或者院子。她的四周全是来来往往满载货物的毛驴、背着担子的男人、孩子、蒙着脸或者露着脸的女人,尽是一片神秘的摩尔古城繁忙的生活景象。漫步在狭窄的街道上,她忘掉了其他一切事情,忘掉了她的任务以及过去生活的不幸,甚至忘掉了自己。她全神贯注地生活和行走在一个梦一样的世界里。唯一的打扰是导游不断的讲解,催促她去各种各样她不是特别想去的商店参观。

"女士,请看。这个伙计有很好的东西出售,非常便宜,真的很古老,具有摩尔人的风格。他还有长袍和丝绸。你喜欢漂亮的珠子吗?"

东方人向西方人的兜售没完没了,但是这丝毫不影响希拉里的兴致。很快,她就失去了方向感。在这个四周被城墙包围的古城里,她不知道自己是在向北走还是向南走,也不知道是不是又走回了刚才走过的街道上。当导游提出最后的建议时,她已经相当疲惫了,显然这是游览的日程安排。

"现在我带你去个非常漂亮的房子,非常高档的地方。那里有很多我的朋友。你去品尝一下薄荷茶,他们将给你展示很多有趣的东西。"

希拉里意识到这就是卡尔文·贝克夫人所说的那个众人皆知的把戏。然而,她倒是想去看看导游建议的任何事物。她对自己许诺,明天自己来古城四处转一转,不让一直喋喋不休的导游跟在身边。于是她跟着导游穿过一座大门,沿着古城墙外一条蜿蜒的小路向上走去。最后,他们来到一个花园,里面坐落着一座漂亮的房子,是按照当地风格建造的。

在这个可以俯瞰到整个古城的大房子里,她被领到一个小咖啡桌旁坐下。正如期待的那样,服务员给她端来了薄荷茶。对于希拉里来说,她不喜欢在茶里面加糖,所以喝下这薄荷茶是一种痛苦。但是她脑子里去掉了品茶的想法,只是把这薄荷茶看作一种新型的柠檬水,她设法享受它的滋味。她也欣赏着向她展示的毛毯、珠子、布料、刺绣和各种各样的物品。只是出于善心,而不是别的原因,她购买了一两样东西。然后,这位不知疲倦的导游说:

"我现在为您准备了一辆车,带您四处转一转,只用一个小时,看一看美丽的景色和田园风光,然后就返回旅馆。"他委婉而谨慎地补充说,"这位女孩,她会先带您去一下相当精致的卫生间。"

那位为她上茶的女孩微笑着站在她旁边,立即用熟练的英语说:

"是的,是的,夫人。您跟我来。我们这里的卫生间非常好,非常精致,就像里兹大饭店里的一样,也和纽约或者芝加哥的一样。看了您就知道了!"

希拉里微笑着跟着女孩。虽然卫生间没有像女孩形容的那样好,但是至少用的是冲水马桶。洗手间里还安装着一个洗手盆和一面有裂纹的小镜子,镜子折射出来的影像变形得很厉害,以至于希拉里看见自己的脸时几乎被吓了一跳。她洗完了手,因为没有留意到有毛巾,于是便用自己的手帕把手擦干,转身离开。

可是,洗手间的门好像被卡住了。她徒劳地转动门把手,只是嘎嘎地响了响,怎么也打不开。希拉里想是不是门被从外面插上或者锁上了。她有点生气。把她关在门里面,这是什么意思?后来,她注意到在房间的一个角落里还有一扇门。她走过去,转动了门把手。这回房门很容易被打开了。她从房门走出去。

她发现自己走进了一个东方风格的小房间,光线从墙缝里射进。她在火车上遇见的那位叫亨利·洛里耶的小个儿法国男子坐在一张低矮的沙发上抽着烟。

II

他没有起身问候她。他只是开口说话,他的声音有了一点点变化:

"下午好,贝特顿夫人。"

希拉里站在那里,惊讶得一动不动。那么这就是——事情原来是这样的! 她镇定下来。这就是你一直所期待的。你认为她会怎么做,她就怎么做。她走上前,很迫切地说:

"你有消息给我? 你能帮助我?"

他点了点头,然后用责备的口气说:

"夫人,我发现你在火车上表现得有些愚钝。也许你太习惯于谈论天气了。"

"天气?"她很疑惑地盯着他说。

他在火车上谈论了哪些关于天气的事情? 寒冷? 大雾? 雪?

雪。奥利芙·贝特顿即将死去的时候低语过。她还引用了一段无聊的话——是什么呢？

雪，雪，美丽的雪！
你笨重地滑倒，起身继续走！

希拉里支支吾吾地重复着这段话。

"完全正确——为什么你没有按照约定的那样立即做出反应呢？"

"你不明白。我生病了。我经历了一场空难，因此患了脑震荡住院了。我的记忆力在某种程度上受了影响，很久之前发生的事情还记得很清楚，但是脑子中出现了可怕的记忆空白——巨大的记忆缺口。"她把手臂抬到脑袋上。她发现，用真正颤抖着的声音继续说下去很容易。"你不明白那件事有多么可怕。我一直感觉到我把重要的事情忘记了——忘记了真正重要的事情。我越是努力地回忆，越是无法想起来。"

"是的，"洛里耶说，"空难是不幸的。"他用一种冰冷的公事公办的语气说，"你是否还有必要的精力和勇气继续你的旅程，这成了一个问题。"

"当然了，我要继续我的旅程，"希拉里叫嚷道，"我的丈夫——"她的声音突然停下来。

他微笑着，但并不是一种愉快的笑容，有点像猫似的偷偷摸摸的笑容。

"你的丈夫，"他说，"我知道，正在急切地等待着你。"

希拉里的声音打断了他。

"你不明白，"她说，"不明白自从他走了之后，这几个月我是如何度过的。"

"关于你是否知道他的下落这件事，你认为英国当局已经做出肯定的结论了吗？"

希拉里两手一摊。

"我怎么知道——这让我怎么说呢？他们看起来很满意。"

"尽管如此……"他插了一句。

"我想很有可能，"希拉里缓慢地说，"我被人跟踪到这里。我无法找出是谁在跟踪，但是自从离开英国后，我就感觉处于别人监视中。"

"那是当然的，"洛里耶冷漠地说，"我们也这样想。"

"我想我应该提醒你。"

"亲爱的贝特顿夫人，我们不是小孩子。我们知道现在正在做什么。"

"很抱歉，"希拉里很谦逊地说，"恐怕我太无知了。"

"只要你能服从我们，无知也没有关系。"

"我会服从的。"希拉里小声说道。

"毫无疑问，自从你的丈夫离开那天开始，你在英国就受到了严密监视。不管如何，信息还是传给你了，是不是？"

"是的。"希拉里说。

"现在，"洛里耶用一种公事公办的腔调说，"夫人，我要给你接下来的指示。"

"请说吧。"

"后天，你要从这里启程前往马拉喀什。按照你的计划和预订的旅程行动。"

"是。"

"你到达后的那天，你会接到一份来自英国的电报。电报上的内容我不知道，但是足够让你制定计划立即返回英国了。"

"我要返回英国？"

"请听我说。我还没有说完。你要订一张第二天从卡萨布兰卡起飞的机票。"

"如果我订不上机票——假如所有的座位都被预订了？"

"不会被订满的。所有的事情都安排好了。现在，你明白你的指示了吗？"

"我明白了。"

"那么请回到导游正在等你的地方去吧。你在这个洗手间里呆了足够长时间了。顺便问一下，你和现在住在吉美宫旅馆的一位美国女士和一位英国女士交上朋友了？"

"是的。这样做是错的吗？很难避免这样做。"

"没有关系。这正好配合了我们的计划。如果你能劝说她们当中某个人陪你前往马拉喀什，这样是最好的。再见，夫人。"

"再见,先生①。"

"很可能,"洛里耶先生毫无兴趣地告诉她,"我不会再见到你了。"

希拉里又走回到洗手间。这一次,她发现另外一边的门锁开着。几分钟后,她和导游在茶室里会合了。

"我弄了一辆非常好的车在外面等着我们呢,"导游说,"我现在带你好好地去四处兜兜风。"

按照计划,他们出发了。

III

"那么你明天要前往马拉喀什,"赫瑟林顿小姐说,"你在非斯还没有住上很长时间,是不是?还不如首先前往马拉喀什,然后到非斯,最后返回卡萨布兰卡,这样更方便些吧?"

"我想这样的确方便些,"希拉里说,"但是很难预订好宾馆。这里的游客实在太多了。"

"英国人不多,"赫瑟林顿小姐相当愁闷地说,"现如今,旅途中很难见到自己的同胞,这好像真的很可怕。"她很轻蔑地看看四周说,"这里到处是法国人。"

---

① 原文为法语。

希拉里微微一笑。摩洛哥是法国殖民地这个事实看起来对于赫瑟林顿小姐没有什么意义。她认为英国旅行者在任何国外的宾馆都应该享有特权。

"全是法国人、德国人、亚美尼亚人和希腊人，"卡尔文·贝克夫人小声咯咯笑着说，"我想那个龌龊的矮个子老头儿是个希腊人。"

"有人告诉我说他是希腊人，"希拉里说。

"好像是个重要人物，"贝克夫人说，"你会注意到服务员们如何围着他团团转。"

"现如今，他们几乎不在乎英国人了，"赫瑟林顿小姐沮丧地说，"他们总是给英国人留最糟糕位置的卧室——都是古时候侍女和男仆居住的。"

"哦，我可以说自从来到摩洛哥之后，没有发现我住的房间有任何毛病，"卡尔文·贝克夫人说，"我每次设法挑选一间最舒适的房间和浴室。"

"你是个美国人。"赫瑟林顿小姐立即说道，话音中还带着一点尖刻。她愤怒地敲打了一下编织针。

"我希望我能劝说你们两个同我一起去马拉喀什，"希拉里说，"能认识你们，同你们交谈真是一件快乐的事情。真的，自己一个人旅行非常孤独。"

"我去过马拉喀什。"赫瑟林顿小姐大声说。

然而，卡尔文·贝克夫人好像有点愿意接受这个建议。

"哦，这当然是个好主意，"她说，"上次我去马拉喀什已经是一个月前的事情了。我会很乐意再去呆上一段时间,我可以带你到处转一转,贝特顿夫人,这样你就不会被人骗了。在还没有到一个地方四处游览之前,你是不会知道那些骗人的把戏的。我现在才知道。我要马上去旅行社,看一看能否安排好一切。"

她离开后,赫瑟林顿小姐讽刺地说:

"这些美国女人就是这样。从一个地方跑到另外一个地方,从来不停留一下。埃及呆一天,然后就去巴勒斯坦。有时候我真的在想,他们连自己在哪个国家都搞不清楚。"

她突然闭上了嘴巴,站起来,仔细地收拾好她的针线,向希拉里微微点头致意后离开了这个土耳其式的房间。希拉里看了一眼手表。就像往常一样,她不愿意把一晚上的时间都花在吃饭上。她独自坐在这间低矮、黑暗的房子里,里面悬挂着东方风格的装饰品。一位服务员向里面看了一眼,点了两盏灯后离开了。这两盏灯不是很亮,房间里灯光微弱,看起来很舒适。这给人一种东方式的宁静。希拉里靠在一张低矮的沙发椅里,思考着以后的事情。

就在昨天,她还在想自己参与的整个事情是否是个骗局。现在——现在她就要准备开始真正的旅程了。她必须多加小心,非常谨慎。她一定不能出错。她一定是奥利芙·贝特顿,受过适当的良好教育,不爱好艺术,思想保守,但是的确同情左翼运动,还是一位对自己丈夫绝对忠心的妻子。

"我一定不能出错。"希拉里喘着气对自己说。

一个人孤独地坐在摩洛哥的这个地方真让人感到奇怪。她仿佛来到了一个神秘的、让人神魂颠倒的地方。她旁边有一盏散发着微弱光亮的灯！如果她把这个雕刻着图案的黄铜灯拿在手里，然后摩擦一下，灯神会不会出现呢？脑子产生这个想法时，她真的这么做了。神灵很快就在灯上面出现了，她看见了阿里斯蒂德先生那张长满皱纹的小脸和尖尖的胡子。在坐到她旁边之前，他很有礼貌地鞠躬致敬，然后说：

"可以坐下吗，夫人？"希拉里很客气地答应了。

掏出他的香烟盒，他递给她一支烟。她接过了香烟。他也给自己点上烟。

"夫人，你喜欢这个国家吗？"过了一小会儿，他问道。

"我在这里只呆了很短的时间，"希拉里说，"我发现这儿很迷人。"

"啊。你去过古城了吗？喜欢那里吗？"

"我想那里很不错。"

"是的，很不错。那里代表了过去——过去的贸易、过去宫廷里的勾心斗角、过去的窃窃私语、暗地里的活动，一个城市所有的神秘和激情都包容在狭窄的街道和城墙里。夫人，你知道当我漫步在非斯的街道上时，我在想些什么呢？"

"不知道。"

"我想起了你们伦敦的大西街。我想起了街道两侧建起来的巨大的工厂建筑。我想起了那些工厂大厦整晚上亮着的霓虹灯和在里面工作的人们。当你驾车从旁边经过时，你会把里面看得清清楚楚。没有什么可以隐藏的，没有什么令人感到神秘的。窗户上甚至没窗帘。不，他们在那里工作，如果愿意的话，整个世界都在看着他们。就像把蚁丘的顶部翻开一样。

"你的意思是，"希拉里饶有兴趣地说，"是这种反差使你感到有兴趣？"

阿里斯蒂德先生点了点他那个老得像乌龟一样的脑袋。

"是的，"他说，"在那儿，每件事都是公开的，在非斯古老的街道里，没有一样现代的东西。每件东西都是隐蔽的，黑暗的……但是——"他向前探了探身子，一根手指敲打着那张黄铜质的小咖啡桌，"——但是一样的事情还是在发生。一样的残酷、一样的压迫、一样对权力的野心、一样的讨价还价和争论不休。"

"你认为不论在哪个地方，人类的本质都是一样的？"希拉里问道。

"每个国家。不管过去还是现在，一直有两件事情支配着人类。残酷和仁慈！要么前者，要么后者。有的时候两者都有。"他几乎没有改变口气接着说，"夫人，他们告诉我你那天在卡萨布兰卡经历了非常可怕的空难？"

"是的，没错。"

"我很羡慕你。"阿里斯蒂德出乎意料地说。

希拉里惊讶地看着他。随后他又很强烈地摇头晃脑，表示十分自信。

"是的，"他补充说道，"你令人羡慕。你有了一次经历。我很喜欢这种濒临死亡的经历。接近死亡，却又起死回生——夫人，你不感到自此之后自己很不同了吗？"

"很不幸的是，"希拉里说，"我患了脑震荡，这使我头痛得厉害，并且还影响到了我的记忆力。"

"这只是让人有些不方便，"阿里斯蒂德挥了挥胳膊说道，"但是你经历了一次精神上的冒险，不是吗？"

"那倒是的，"希拉里缓慢地说，"我经历了一次精神冒险。"

她想起了一瓶维希矿泉水和一小堆安眠药片。

"我从来没有那种经历，"阿里斯蒂德带着不满的口气说道，"经历了这么多事情，但是没有经历过这种事。"他站起来，鞠了一个躬，然后说，"向您致敬，夫人①。"便离开了。

---

① 原文为法语。

第八章

多么相似啊！希拉里心里想,所有的机场都多么的相似啊！它们都有一个奇怪的共性。它们都离城镇或者城市很远,结果让人产生一种奇怪的不知身在何处的感觉。你能够从伦敦飞往马德里、罗马、伊斯坦布尔、开罗,飞往任何你喜欢去的地方。如果你的旅程是乘坐飞机连续进行的,那么你对这些城市的样子不会有一丝的了解!如果你在空中瞥它们一眼,它们只是一幅幅壮丽的地图而已,像孩子们用积木玩具搭起来的东西。

哎呀!她环顾着四周,焦急地自忖:"人们总是不得不一大早就要到这些地方来吗?"

她们在候机大厅已经等了将近半个小时。打算陪同希拉里前往马拉喀什的卡尔文·贝克夫人,自从她们到达机场后就滔滔不绝地说她们本应该选择直飞的。希拉里几乎是机械地附和着。但是她现在意识到谈话发生了转移。现在,贝克夫人把注意力转到身边两位旅行者身上。他们两个都是高个俊俏的年轻男子。一位是笑嘻嘻的美国人,另一位表情相当严肃,应该是丹麦人或者挪威人。这位丹麦人英语讲得字斟句酌,说话声音低沉,语速缓慢,一副学究口气。美国人显然对遇见另一位美国旅行者很高兴。不一会儿,卡尔文夫人很谨慎地转向希拉里：

"先生，我介绍你认识我的朋友，这位是贝特顿夫人。"

"安德鲁·彼得斯——我的朋友们都叫我安迪。"

另外一位年轻人站起来，很不自然地鞠了一个躬，自我介绍："托尔奎尔·埃里克松。"

"那么现在我们都彼此认识了，"贝克夫人很高兴地说，"我们都要去马拉喀什吗？这是我朋友第一次去——"

"我也是，"埃里克松说，"我也是第一次去。"

"我也是第一次去。"彼得斯说。

扩音器突然被打开，里面传出了嘶哑的法语广播声。广播的内容几乎听不清，但好像是通知他们该登机了。

除了贝克夫人和希拉里之外，还有四位乘客。彼得斯和埃里克松，还有一位瘦高个的法国人以及一位表情严肃的修女。

这天万里晴空、一碧如洗，飞行条件好极了。希拉里背靠在自己的座椅上，半合着眼睛，揣摩着坐在同一架飞机上的每一位乘客，她试图用这样的方式来分散自己思想上的疑虑。

卡尔文·贝克夫人坐在过道另一侧靠前一排的位子上，身穿一身灰色的旅行服，看上去就像一只丰满肥胖的鸭子。蓝色的头发上戴着一顶带穗儿的小帽子。她正在翻阅一本画报。偶尔，她会把身子探向前，用手拍一拍坐在前排的男子的肩膀。这位男子就是总是面带笑容的美国帅小伙子彼得斯。只要她拍拍他的肩膀,他就会转过身子,咧着嘴,露出愉快的笑容,努力地应答着她。美国人是多么愉快和友善啊,希拉里心想。他们同一脸严肃的英国旅行者们完全不同。她不能想象当赫瑟林顿小姐在飞机上遇见一位本国的年轻人时,能这么容易地就与他攀谈起来。她甚至怀疑后者是否能够像这位年轻的美国小伙子一样愉快地作答。

过道的另一侧,和她并排坐着的是挪威人埃里克松。

当她注视到他的眼睛时,他不自然地微微低头致意,斜着身子把手里刚刚看完合上的杂志递给她。她说了一声谢谢,然后拿过杂志。在挪威人后面,坐着瘦瘦的、皮肤黝黑的法国人。他的双腿伸展开,好像睡着了。

希拉里转头向后面看去。表情严峻的修女就坐在她后面,当她的那双毫无神情、冷淡无光的眼睛同希拉里的眼睛相遇时,也没有丝毫变化。她一动不动地坐在座位上,紧握着双手。在希拉里看来,这就像是一场古怪的时间的恶作剧,让一位穿着中世纪传统服饰的妇女在二十世纪乘坐飞机旅行。

希拉里心想,六个人一起飞行几个小时,带着不同的目的前往不同的地方,也许几个小时之后,各自分开,永远不会再相遇。她曾经读过一部类似题材的小说,描述了六个人的情况。她认为这个法国人一定是在度假。他看上去非常劳累。这位年轻的美国人也许是一个学生。埃里克松可能要去就任某项工作。这位修女毫无疑问是回修道院。

希拉里闭上眼睛，忘记了和她一起旅行的人们。正如前一个晚上那样，她充满疑惑地思考着给她下达的这道指令。她将要回到英国！这好像是疯了！或者在某些方面，对方发现她有问题，没有得到信任：没有提供出真的奥利芙本来会提供的暗号或者证明。她叹了一口气，不安地挪动了一下身体。"哦，"她想，"除了已经做的和正在做的，我没有什么能做的。如果我失败了——那就失败吧。不管怎样，我已经尽了全力。"

随即，她的脑子里又出现了另外一个念头。亨利·洛里耶一直认为，在摩洛哥有人对她正在进行着严密的监视，这是很正常也是不可避免的事情——这是消除嫌疑的手段？贝特顿夫人立即返回英国，这显然会被认为她来到摩洛哥并不是为了像她丈夫那样"消失"。对她的怀疑也会解除——她会被认为是一个名副其实的旅行者。

她要起身前往英国，乘坐法国航空公司的飞机途经巴黎——也许会留在巴黎——

是的，当然——会留在巴黎。汤姆·贝特顿就是在巴黎失踪的。从那里失踪是多么容易。也许汤姆·贝特顿根本没有离开过巴黎。也许——希拉里厌倦了毫无意义的猜测，不知不觉地进入了梦乡。她又醒来——又打了一会儿瞌睡，不时毫无兴趣地扫一眼手里的杂志。突然，她从一阵沉睡中惊醒，发现飞机正迅速地降低高度，在空中盘旋。她看了一眼手表，但是还没有到预计的抵达时间。而且，她透过窗户向下看去，并没有看见下面有机场的任何标志建筑。

霎那间，她心里产生了一丝焦虑和不安。这位瘦瘦的、皮肤黝黑的法国人站起来，打了个哈欠，伸展着胳膊，向外面张望，嘴里用法语说了些话，但是她没有听明白什么意思。但是埃里克松从过道另外一侧探过身子来说：

"看起来，我们要在这里降落——但是为什么？"

卡尔文·贝克夫人从椅子背上探起身子，转过脑袋，快乐地向希拉里点着头。希拉里说：

"我们好像要降落了。"

飞机盘旋着向地面扑下去。他们身下的地面好像是沙漠。没有任何房屋或者村庄的迹象。起落架撞击了地面一下，颠簸着滑行了一段距离，直到完全停下来。这是强行着陆，降落在一个谁也不知道的什么地方。

希拉里想，难道发动机出了故障，或者飞机没有油了？飞行员是一位皮肤黝黑、长相帅气的年轻人，他穿过前门，走进了机舱。

"请大家，"他说，"大家都请下飞机。"他打开了机舱后门，放下一个短梯，站在那里等着所有人下飞机。他们在地面上站成一堆，身上有点哆嗦。这个地方很冷，从远处的山脉刮过来阵阵寒风。希拉里注意到，山脉上覆盖着白雪，异乎寻常的美丽。空气很清爽、让人沉醉。飞行员也下了飞机，用法语对他们说：

"你们都下来了？是的？请原谅，也许你们要等一会儿。啊，不，我看到它来了。"

他指着地平线上的一个小点，正在逐渐地向他们靠近。希拉里带着有一点疑惑的声音说：

"但是为什么我们要在这里降落？出了什么事情？我们要在这里呆多长时间？"

法国旅行者说：

"我明白了，一辆客货两用旅行车正在驶来。我们要坐这辆车继续行驶。"

"发动机出故障了？"希拉里问道。

安迪·彼得斯高兴地微笑着。

"不，我想不是，"他说，"我听着发动机一切正常。然而，毫无疑问，他们做了这样的安排。"

她疑惑地瞪着眼睛。卡尔文·贝克夫人喃喃道：

"天哪，站在外面真冷。这是这种天气中最糟糕的时候。天看起来阳光明媚，但是黄昏时候是最寒冷的。"

希拉里想，飞行员正喘着气，小声地诅咒。他好像正在说：

"整天耽误时间，真是受不了①。"

旅行车正以极快的速度朝他们驶来。一位柏柏尔族司机猛地刹住车。他跳下车，立即同飞行员愤怒地争吵起来。令希拉里感到十分吃惊的是，贝克夫人介入了争吵——竟然掺杂着法语。

"不要浪费时间了，"她态度严厉地说，"争吵有什么用？我们想离开这个地方。"

---

① 原文为法语。

司机耸了耸肩膀，走到旅行车前，把车后部打开，放下后档板。车厢里面有一个包装好的大箱子。他和飞行员在埃里克松和彼得斯的帮助下把箱子搬到地上。从他们耗费的气力看，这个箱子似乎很重。当司机准备打开箱子盖的时候，卡尔文·贝克夫人把手放在希拉里的胳膊上，说：

"天哪，不要看。里面从来就没有什么好看的。"

她把希拉里拉到旅行车另外一侧。法国人和彼得斯也跟着他们走过来。法国人用法语说：

"那是什么，他们在耍什么把戏？"

贝克夫人说：

"你是巴龙博士吧？"

法国人鞠了一个躬。

"很高兴认识你，"贝克夫人说。她伸出手，就像女主人欢迎他参加聚会一样。希拉里用疑惑的腔调说：

"但是我不明白。那个箱子里是什么？为什么最好不要看？"

安迪·彼得斯很体贴地看着她。希拉里想，他相貌俊秀，透着正直和可信赖的气质。他说：

"我知道是什么。飞行员告诉我了。也许不是非常美好的东西，但是我猜是必需的。"他平静地点了点头，"箱子里是尸体。"

"尸体！"她盯着他。

"哦，他们并不是搞谋杀之类的事情，"他很确信地咧嘴笑着，"他们都是以合法的手段搞到这些尸体——你知道,是进行医学研究的。"

但是希拉里仍然盯着他。"我还是不明白。"

"啊。你知道,贝特顿夫人,这就是旅行的终点。应该说是其中的一次旅行。"

"终点?"

"是的。他们会把尸体弄到飞机上,然后飞行员会处理好所有的事情,当我们坐车离开这里的时候,我们会看见远处的天空有一片火焰。又有一架飞机坠毁了,变成火焰落到地上,没有一位幸存者!"

"但是为什么? 真是荒谬!"

"但是很肯定的是——"是巴龙博士正在对她讲话。"但是很肯定的是你知道我们要去哪里?"

贝克夫人走近了,愉快地说:

"她当然知道了。但是可能她并没有料到这么快。"

希拉里疑惑地停顿了一下说:

"但是你的意思是——我们所有人?"她向四周看了看。

"我们是同路人。"彼得斯和蔼地说道。

年轻的挪威人点了点头,用一种几乎狂热的口气说:

"是的,我们都是同路人。"

第九章

I

飞行员向他们走过去。

"请你们现在出发,"他说,"越快越好。还有很多事情要做,按照计划,我们已经耽误了。"

希拉里畏缩了一下。她紧张地把手放到脖子上。她佩戴的珍珠项链被她的手指头拧断了。她捡起了散落到地上的珍珠,把它们塞进口袋里。

她们都上了旅行车。希拉里和其他人挤在同一条长凳上,一侧是彼得斯,另一侧是贝克夫人。希拉里把头转向这位美国女人说:

"那么你——那么你——贝克夫人,你就是别人说的联络官?"

"完全正确。我完全够这个资格,尽管这是我自己的评价。没有人会对一个美国女人四处观光、游山玩水感到惊讶。"

她仍然一副洋洋得意的样子,但是希拉里感到,或者认为自己发觉她已经变了一个人了。那种轻浮愚蠢的假象已经不见了。这是一个能干的,或许还是很无情的女人。

"这会成为报纸上轰动一时的头条新闻,"贝克夫人说。她带着喜悦的笑容,"我是说你,亲爱的。人们会说,总是霉运不断。第一次在卡萨布兰卡的空难中差点丢了性命,最后在这场灾难中最终还是难逃一死。"

希拉里立即意识到这个计划的高明之处。

"其他人呢?"她嘀咕道,"他们就是他们自称的那些人吗?"

"哦,是的。我认为,巴龙博士是一位细菌学家。埃里克松先生是一位非常出色、年轻有为的物理学家,彼得斯先生是一位化学家,当然,尼德海姆小姐不是一位修女,她是一位内分泌学专家。至于我自己,正如我自己所说,我只是一位联络官。我不属于这个科学团队。"她又一边笑着,一边说,"那个叫赫瑟林顿的女人不会有机会的。"

"赫瑟林顿小姐——她是——她是——"

贝克夫人用力地点了点头。

"我认为,她一直在跟踪你。她从卡萨布兰卡接了监视你的任务。"

"但是尽管我劝她一起旅行,但是她今天并没有跟着我们来?"

"那样做不合适,"贝克夫人说,"再次回到马拉喀什,这看起来有一点太明显了,因为她已经到过那里。

不,她会发电报或者打电话,当你到达的时候,有人会在马拉喀什继续跟踪你。当你到达的时候!这真是可笑,不是吗?看!快看那边!着火了。"

旅行车载着他们在沙漠上飞驰,希拉里伸长脖子透过小窗户向外看去,她看见身后发出了巨大的火光。爆炸的声音隐隐约约地传到她的耳朵里。彼得斯转过头去大笑起来。他说:

"飞往马拉喀什的飞机坠毁,六个人遇难!"

希拉里几乎压着嗓子说:

"这——这真令人恐惧。"

"开始启程前往不明之地吗?"彼得斯开口说道。现在他表情非常严肃。"是的,这是唯一的出路。我们正在离开过去,朝着美好的未来进发。"他的脸上突然露出兴奋的表情。"我们即将抛弃所有邪恶的、疯狂的迂腐和虚假,抛弃腐败的政府和好战者。我们即将去一个新的世界——完全剔除了糟粕的一尘不染的世界。"

希拉里深深地吸了一口气。

"这很像我丈夫过去常常说的那样。"她故意这么说道。

"你的丈夫?"他迅速扫了她一眼,"哦,他是汤姆·贝特顿吗?"

希拉里点了点头。

"哦,太棒了。在美国的时候,尽管我有多次机会遇到他,但是我从来没有认出他。ZE 裂变是这个时代最伟大的发现之一——是的,我当然要向他脱帽致敬。他曾和曼海姆一起工作,是吗?"

"是的。"希拉里说。

"他们不是告诉我他娶了曼海姆的女儿吗？但是很显然，你不是——"

"我是他第二任妻子，"希拉里有点脸红地说，"他——他的——埃尔莎在美国去世了。"

"我想起来了。后来他去伦敦工作了。随后他的失踪让他们很恼怒。"他突然笑起来，"参加巴黎召开的某个会议时突然不知道去了哪里。"他继续说，好像更加得意了，"上帝，你不能说他们组织得不好。"

希拉里表示同意。他们组织得天衣无缝，这让她感到一阵不寒而栗。所有事先精密布置好的计划、暗号和标记现在变得毫无用处，因为现在已经没有任何踪迹可寻。安排好乘坐这架死亡飞机的人都是前往托马斯·贝特顿已在的那个不明之地的同路人。没有留下任何的痕迹，除了一架被烧毁的飞机外，什么都没有。在飞机里面只有被烧焦的尸体。他们会不会——有没有可能杰索普和他的组织能够猜到她，希拉里并没有在那些被烧焦的尸体里面呢？她感到怀疑。这起事故制造得如此高明，让人信服。

彼得斯又开口说话了。他的声音带着孩子气，显得很兴奋。对于他而言，没有什么可焦虑的，没有后顾之忧，只是一心向前走。

"我想知道，"他说，"我们从这里到哪儿去？"

希拉里也想知道，因为这将决定一切，迟早，肯定会与外界的人们取得联系。迟早，如果进行调查的话，一辆旅行车装载的六个人很像早上那架飞机上的六名乘客这个事实很可能被发觉。她转向贝克夫人,试图装出旁边的年轻美国人那样渴望的腔调问道:

"我们要去哪里——接下来要做什么?"

"你就要知道了。"贝克夫人说道。从她那满是欢喜的声音中可以感觉出某种不祥。

他们继续行驶。在他们身后,飞机燃烧的火焰直冲天空,由于太阳正落到地平线下,火光更加清晰。夜幕降临了。他们还在路上。路况糟糕透了,因为他们显然从来没有上过任何主干道。有的时候,他们好像行驶在田间小路上,有的时候又像行驶在广阔的平原上。

很长时间里希拉里一直保持着警觉,思绪和焦虑一直在她脑子里萦绕着。但是最终,来回的摇晃和颠簸,还有旅途的疲惫让她睡着了。睡眠断断续续的。汽车的摇晃不时地把她弄醒。一会儿,她会很迷惑地搞不清自己身在何处,过了一会儿才又回到了现实中。她会保持一会儿的清醒,思绪在迷惑的焦虑中转来转去,随后她的头又向前一低,开始打盹,再次进入沉睡中。

Ⅱ

她突然被汽车的急刹车声惊醒。彼得斯很温柔地摇了摇她的胳膊。

"醒醒,"他说,"我们好像到了某个地方。"

每个人都从旅行车上下来。他们都感到身体抽筋,极度疲惫。天色依然很黑,他们好像来到了一座房子的外面,房子周围被棕榈树包围着。他们能够看见远处有一点微弱的灯光,仿佛是一个村庄。在一个提灯的引导下,他们走进了房屋。这是一座土著房子,里面有几个咯咯笑着的柏柏尔女人,她们很惊奇地盯着希拉里和卡尔文·贝克夫人,对那个修女却丝毫不感兴趣。

这三个女人被带到楼梯上的一个小房间里。地板上有三个床垫和一堆被子,除此之外,再没有其它家具了。

"我要说我太铁石心肠了,"贝克夫人说,"坐了这么长时间的车,还让你们挤在这么小的地方睡觉。"

"这种条件没有多大关系。"修女说。

她说话声音粗糙、刺耳,带着一种肯定的语气。希拉里发现,她的英语说得流利、准确,但口音很重。

"对你而言,能够适应苦日子,尼德海姆小姐,"这个美国女人说,"我看见你在修道院里的时候,早上四点钟就跪在硬石头上朝拜。"

尼德海姆小姐很轻蔑地微笑着。

"基督教愚弄了妇女,"她说,"这种靠不住的尊敬,这种假慈悲的羞辱!异教的妇女们有力量。她们天性乐观,能够战胜困难!为了战胜困难,没有不能承受的苦难。没有什么不能遭受的痛苦。"

"现在,"贝克夫人打着哈欠说,"我真希望自己现在是睡在非斯的吉美宫宾馆的床上。你怎么想,贝特

顿夫人？我确信，车上的颠簸对你的脑震荡没有好
处。"

"是的，没有好处。"希拉里说。

"她们很快会给我们送点儿吃的，然后我给你一点阿
司匹林，你最好尽早睡觉。"

外面的楼梯上传来了脚步声，还有女人的咯咯笑声。
接着两个柏柏尔妇女走进房间。她们端着一个托盘，盘
子里放着一大盘粗粒小麦粉和炖肉。她们把吃的放在地
板上，接着又出去端来一脸盆水和一条毛巾。一个女人
摸了摸希拉里的大衣，用手指头揉搓了一下大衣的料子，
然后对另外一个女人说了些什么，另外一个女人立即点
头表示同意，然后也对贝克夫人做了同样的事。她们没
有对修女有丝毫的留意。

"嘘，"贝克夫人摆手让她们离开，"嘘，嘘。"

这就像是在把小鸡赶走。这两个女人笑着退后，离
开了房间。

"愚蠢的家伙，"贝克夫人说，"真让人烦。我想孩子
和衣服是她们生活中唯一的乐趣。"

"她们也就适合干些这种事情，"尼德海姆小姐说。
"她们属于被奴役的种族。她们也只有给别人干活这点
用处，除此之外没什么用。"

"你是不是有点刻薄？"希拉里说，显然她被这个女
人的态度激怒了。

"我不能容忍这种多愁善感的情绪。只有少数人统
治；大多数人都是服务者。"

地狱之旅

"但是显然……"

贝克夫人以一种权威的口吻插话进来。

"我想,在这些问题上,我们都有自己的观点。"她说,"这些问题都很有意思。但是现在不是谈论的时候。我们需要休息一会儿。"

薄荷茶端来了。希拉里很乐意地吞下几片阿司匹林,因为她确实有头疼的毛病。随后这三个女人躺在床垫上,睡着了。

她们一觉睡到第二天很晚,要到晚上才会继续赶路,这是贝克夫人通知她们的。从她们睡觉的房间出来,外面有一个楼梯通向屋顶的平台,在那里可以观赏到四周乡村的景色。不远的地方有一个小村庄,但是她们居住的房子却孤零零地建在一个大棕榈树林里。当她们睡醒的时候,贝克夫人指了指屋内放着的三叠刚刚拿过来的衣服。

"下面的行程我们要装扮成本地人,"她解释道,"我们把其它的衣服留在这里。"

于是这个时髦的小个儿美国女人干净的西服、希拉里的斜纹软呢大衣和裙子,以及修女的宗教服装都被脱到了一边,只见三个本地的摩洛哥女人坐在了房顶上聊着天。整个事情古怪到令人无法相信的地步。

尼德海姆小姐脱掉了修女的大袍子,希拉里可以仔细地观察她了。她的年龄比希拉里原先想的要小,或许还不到三十三或者三十四岁。她的外表干净利落,皮肤苍白,手指头粗短,那双冷漠的眼睛不时地发出狂热和憎恶的光芒,但是毫无魅力可言。她说话粗暴而强硬。她对贝克夫人和希拉里两个人的态度显示出一些轻蔑,就像对待那些不值得同她交往的人们一样。这种傲慢让希拉里感到非常愤怒。然而,贝克夫人好像对此毫不在意。很奇怪的是,希拉里感到同这两个咯咯笑着给她们送食物的柏柏尔女人比这两个来自西方世界的同伴更容易相处。这个年轻的德国女人显然对她一手造成的这种印象漠不关心。她的行为举止中隐藏着一种急躁,显然她很期待继续旅行,对她的两个同伴毫无兴趣。

希拉里发现,要对贝克夫人的态度作出评价是一件更加困难的事情。起初,比起这个毫无人性的德国女专家,贝克夫人看起来是一个很自然和平常的人。但是随着太阳慢慢落下,她感到贝克夫人比黑尔佳·尼德海姆更加复杂和令人厌恶。贝克夫人的社交方式几乎像是一个毫无差错的机器人。她所有的评论和话语都非常自然和平常,都是大家日常使用的,但是人们会怀疑整个事情好像是一个演员把一个角色扮演了七百次一样。贝克夫人的表现总是机械式的,可能和她真正的想法和感觉是完全背离的。希拉里想知道,卡尔文·贝克夫人到底是什么人呢?为什么她会像一台精密的机器一样扮演这个角色呢?她也是一个狂热分子吗?她梦想着一个勇敢的新世界——她是一个强烈地反抗资本主义制度的人吗?她会因为自己的政治信仰和理想而放弃正常的生活吗?很难说清楚。

那天晚上,他们继续行程。这次不再乘坐旅行车而是改乘一辆敞篷观光车。每个人都穿着本地人的衣服,男人都披着穆斯林斗篷,女人用面纱遮上脸。把自己包装得严严实实后,他们再一次出发了,日夜兼程。

"贝特顿夫人,你感觉如何?"

希拉里朝着安迪·彼得斯微笑了一下。太阳刚刚升起,他们停下车吃早餐。早餐吃的是当地的面包以及用普里默斯炉烧出的茶。

"我感觉仿佛在做梦一般。"希拉里说。

"是的,有这样的感觉。"

"我们在哪里?"

他耸了耸肩膀。

"谁知道?毫无疑问除了卡尔文·贝克夫人,再没有人知道了。"

"这里非常荒凉。"

"是的,实际上是不毛之地。不过非得这样,不是吗?"

"你的意思是说,这样是为了不留下任何痕迹?"

"是的。人们都知道,难道不是吗?整个事情必须经过巧妙的构思。我们行程中的每个阶段,都是相互独立的。飞机起飞后坠毁了。一辆旧式的旅行车通宵地行驶。不知你注意到没有,那辆车上有块牌子,标明它属于某个考古探险队,正在这一带进行发掘工作。第二天,一辆载满柏柏尔人的观光车行驶在路上,这是路上最常见不过的了。下一个阶段呢?"——他耸了耸肩膀说——"谁知道呢?"

"但是我们要去哪里?"

安迪·彼得斯摇了摇头。

"问也是没有用的。我们会知道的。"

法国人巴龙博士加入了他们的谈话。

"是的,"他说,"我们会知道的。但是我们不问是不行的? 这是我们西方人骨子里的血性。我们从来不说'这一天很满足了'。我们总是向明天、明天看。把昨天抛在后面,向明天进发。那就是我们的要求。"

"博士,你想让整个世界加快进程,不是吗?"彼得斯问道。

"有这么多需要实现的事情,"巴龙博士说,"生命太短暂了。人必须有更多的时间,更多、更多的时间。"他富有激情地用力挥舞着双手。

彼得斯转向希拉里。

"你谈到你们国家有四大自由,都是什么? 各取所需的自由、不受恐惧的自由……"

法国人插嘴道:"不被愚弄的自由。"他挖苦地说道,"这就是我想要的自由! 我的工作就需要这个自由。免除没完没了的经济的自由! 免除阻碍人们工作的所有限制的自由!"

"巴龙博士,你是一位细菌学家,是不是?"

"是的,我是一位细菌学家。啊,你不知道,我的朋友,这是一项多么有魅力的研究啊! 但是它需要耐心,无限的耐心,不断的实验——还有钱——很多钱! 人们必须有实验设备,助手以及原材料! 一旦你有了所需要的一切，还有什么事做不成？"

"这样快乐吗？"希拉里问道。

他迅速地朝她微笑了一下，突然又变成一副很同情的样子。

"啊，你是个女人，夫人。只有女人才会一生总是寻求快乐。"

"而且很少会得到快乐？"希拉里问道。

他耸了耸肩膀。

"可能是的。"

"个人的快乐并不重要，"彼得斯很严肃地说，"必须让所有人得到快乐，让同业的人受到鼓舞！工人们自愿地团结在一起，拥有生产手段，不受好战分子和那些贪婪以及贪得无厌的人的摆布。科学是属于全人类的，不能被一个国家或者其它国家自私地据为己有。"

"好！"埃里克松评价道，"你说得对，科学家必须是主人。他们必须主宰一切。他们，也只有他们自己才是'超人'。只有超人才是重要的。奴隶们必须得到善待，但是他们毕竟只是奴隶。"

希拉里走开了。过了一会儿，彼得斯跟了上来。

"你看起来有一点害怕。"他很风趣地说。

"我想我是有点怕。"她淡淡一笑，"当然，巴龙博士说的话都很正确。我只是一个女人，不是一名科学家，不从事什么研究工作，也不是外科医生，更不是什么细菌学家。我想，我的智商也不太高。正如巴龙博士说的那样，我只是寻求快乐——就像其他任何傻女人一样。"

"这样做有什么不对吗?"彼得斯说。

"哦,也许我感到这伙人里的想法有点超过了我的理解能力。你知道,我只是一个将要和丈夫团聚的女人。"

"这就足够了,"彼得斯说,"你展现了人类的最基本品质。"

"你能这么想真是太好了。"

"哦,那当然。"他又低声补充说道,"你非常在乎你的丈夫吗?"

"如果不在乎,我怎么会在这里?"

"我想不是的。你和他想法一样吗?据我所知,他是一位共产主义者吧?"

希拉里避免直接回答这个问题。

"谈到共产主义者,"她说,"你不觉得我们这一小伙人有点奇怪吗?"

"怎么个奇怪?"

"哦,尽管我们都要去同一个目的地,但是我们这些同路人的观点看起来并不是真的一致。"

彼得斯思索着说:

"哦,不。你刚才说得有些道理。我还没有想到过——但是我想你是正确的。"

"我认为,"希拉里说,"巴龙博士根本没有任何政治倾向!他想弄到进行实验的经费。黑尔佳·尼德海姆说话像个法西斯分子,根本不是共产主义者。埃里克松——"

"埃里克松怎么了?"

"我发现这个人很可怕——他的一门心思专心到了危险的程度。他就像电影里那种疯狂的科学家!"

"我相信男人之间的兄弟情谊,你是个可爱的妻子,我们的卡尔文·贝克夫人——你怎么看待她?"

"我不知道。我发现她比任何其他人都难以判断。"

"哦,我不会这么说。我认为她很简单。"

"你怎么会这么认为?"

"我要说她这一路上始终就是为了金钱。她只是这个组织中一个待遇优厚的小人物而已。"

"她也让我感到害怕。"希拉里说。

"为什么? 她怎么会让你害怕了? 她比起那个疯狂的科学家可差远了。"

"正因为她如此普通才让我感到害怕。你知道,她就是一个普通的人,然而她却能调节好所有人的关系,参与了这一切。"

彼得斯很冷酷地说:

"你知道,组织是现实的。它雇佣最好的男人或女人为它工作。"

"但是任用一个只知道要金钱的人是这项工作的最佳人选吗? 难道他们不会背叛吗?"

"那样做是要承受巨大风险的,"彼得斯安静地说,"卡尔文·贝克夫人是一个精明的女人。我认为她不会冒那种风险。"

希拉里突然打了个寒噤。

"冷吗?"

"是的,有点冷。"

"我们稍微走走吧。"

他们来回散着步。走着走着,彼得斯弯下身子捡起来一个东西。

"给。你掉东西了。"

希拉里从他手中接过来。

"哦,是的,从我的项链上掉下的一颗珍珠。那天我把项链弄断了——不,是昨天。这看起来好像几年前发生的事情了。"

"我想这不是真正的珍珠。"

希拉里笑了。

"不是,当然不是了。人造珠宝。"

彼得斯从口袋里拿出一个烟盒。

"人造珠宝,"他说,"多么巧妙的称呼!"

他递给她一根烟。

"听起来很荒唐——这。"她接过香烟,"好奇怪的烟盒。好重啊。"

"这是用铅做的,所以很重。这是一件战争纪念品——用一枚差点把我炸死的炸弹弹片制作的。"

"那么你参加过——战争?"

"我是专门负责研究炸弹的。我们不要谈论战争了。还是让我们放眼明天吧。"

"我们要去哪里?"希拉里问道,"没有人告诉我任何事。我们——"

他打住了她。

"推测是不会得到鼓励的。"他说,"你去他们告诉你的地方,做他们要你做的事情。"

希拉里突然来了热情,说道:

"你喜欢叫别人牵着鼻子走?喜欢受到胁迫、跟着别人的命令走?而自己的想法一概不提吗?"

"如果有必要的话,我会这样做的。这是有必要的。我们要让世界变得和平、有规范、有秩序。"

"这可能吗?这能实现吗?"

"任何事情都会比我们生活的这个混沌世界好。你不同意吗?"

由于身体的疲惫,周围环境造成的孤独感,还有早上阳光异常的美丽,希拉里有点儿走神,她几乎要充满激情地否认他所说的话。

她本来想说:

"为什么你要谴责我们居住的世界?这个世界有很多好人。比起一个被强加上秩序的世界,难道混沌的世界不是孕育友善和人类个性的更好的滋生地吗?一个有秩序的世界今天还是对的,但是明天可能就是错的。我宁可要一个充满友善、错误和人性的世界,也不愿要一个由一群根本没有怜悯、理解和同情心的高级机器人组成的世界。"

但是她及时地克制住了自己。相反,她故意带着一种压抑的兴奋之情说道:

　　"你真是太正确了。我累了。我们必须顺从，向前进。"

　　他咧嘴笑了。

　　"那样更好。"

第十章

　　旅行就像是在做梦。看起来是这样的,而且这种感觉日益强烈。希拉里觉得,仿佛自己整个一生都在和这五个奇怪的伙伴旅行。他们离开前人踏平的道路,却走向虚无缥缈之境。某种意义上说,他们的这趟旅行不能被称作逃亡。她认为,他们这些人都是自由的工作者;那就是说自由地前往他们选择的地方。据她所知,这些人没有犯过罪,警察也没有追踪他们。然而,为了隐藏他们的足迹,可谓绞尽脑汁。有的时候她会想,既然这些人不是逃亡者,为什么要这样做。仿佛他们正在把自己变成别的什么人。

　　就她个人而言,完全是这么回事。她以希拉里·克雷文的身份离开了英国,现在却变成了奥利芙·贝特顿。也许她的这种奇怪的不真实的感觉和这件事有关。每天,那些轻率的政治口号好像越来越容易地脱口而出了。她感到自己变得热情和迫切,她再一次把这些归因于同伴的影响。

　　她知道自己现在有点害怕他们。她从来没有同天才们如此亲密地接触过。现在天才们近在咫尺,天才们具有超出普通人的品质,给普通人的头脑和感情造成了巨大的压力。这五个人各不相同,然而每个人都有奇怪的热心,坚定的信念,给人留下了深刻的印象。她不知道这是否是一种大脑的特性,或者是一种强烈的人生观。不过她认为,每个人都在某种程度上是疯狂的理想主义者。对于巴龙博士而言,生命就是渴望再次回到实验室里,能够拥有无尽的金钱和资源进行计算、实验以及工作。工作是为了什么呢? 她怀疑他自己是否问过自己这个问题。他曾经对她说过,只需要一个小药瓶那么多的细菌就能对一个大陆导致灾难性的破坏。她对他说:

"但是你会那样做吗? 真的会那样做吗?"

他有一点惊讶地看着她回答说:

"是的。是的,当然得在必要的时候。"

他只是很敷衍了事地说了说。接着,他又继续说道:

"假如能看到整个确切的过程、确切的进展,那会是非常有趣的事情。"他又长叹了半口气说,"你知道,要探究的事情实在太多了,需要去发现的问题也实在很多。"

希拉里立刻明白了。不一会儿,她就站在他的立场上,心中只是充满了对知识的渴求,完全把几百万人的死活看成无关紧要的事情。反正这只是一种观点,在某种意义上说,不见得是不光彩的观点。她对黑尔佳·尼德海姆的敌对就更大了。这个年轻女人目空一切的高傲惹恼了她。她喜欢彼得斯,但是不时地对从他眼睛里突然发出的狂热的目光感到憎恶和恐惧。她曾对他说:

"你想创造的不是一个新世界。你的乐趣在于破坏一个旧世界。"

"你错了,奥利芙。怎么能这样说。"

"不,我说得没有错。你身上有一种仇恨。我能感受到。仇恨。去破坏一切的愿望。"

她发现埃里克松是让人最感到疑惑的人。她认为,埃里克松不如这个法国人现实,也没有美国人那种破坏性的热情。他身上具有北欧人那种古怪的、疯狂的理想主义品质。

"我们必须征服,"他说,"我们必须征服世界。然后,我们才能统治世界。"

"我们?"她问道。

他点了点头。他的表情奇怪但很随和,眼睛中带着矫揉造作的温柔。

"是的,"他说,"我们这些少数起作用的人。我们是有头脑的人。这才决定一切。"

希拉里想,我们要去哪里?这条路通向哪里?这些人都疯了,但是他们疯狂的方式各不相同。他们仿佛各有各的目标,各有各的幻想。是的,幻想这个词很合适。幻想。想到这,她又思考起卡尔文·贝克这个人来。在她身上看不到狂热、仇恨、梦想、傲慢和抱负。希拉里在贝克夫人身上没能发现任何值得她注意的东西。希拉里认为,她是一个既没有良心也没有感情的女人。她是一个巨大的秘密组织控制下的得力助手。

第三天的旅行结束了。他们来到一个小镇上,在一家当地的小旅馆落脚。希拉里发现,在这里他们要重新换上欧洲人的服饰。那天晚上,她睡在一个狭小的粉刷着白墙的房间里,就像睡在一间牢房里一样。黎明时分,贝克夫人叫醒了她。

"现在我们要马上出发，"贝克夫人说，"飞机正等着我们。"

"飞机？"

"是的，亲爱的。感谢上帝，我们又返回到现代文明的旅行方式了。"

经过一个小时的车程，他们来到一个飞机场，飞机在那里等着。这看起来像一个废弃的军用机场。飞行员是个法国人。他们飞行了几个小时，翻山越岭。从飞机上向下面看去，希拉里想，从空中往下看去，这个世界真是惊人的相似。到处是山脉、峡谷、公路、房屋。除非是飞行专家，否则所有的地方看上去都是一样的。普通人只能看出有的地方人口密度比其它地方要大。因为在云层以上飞行，所以有一半的时间什么也看不见。

刚到下午的时候，飞机开始降低高度，盘旋着降落。他们仍然在起伏的山峦间，但是飞机降落在了一个平地上。那里有一个很显眼的飞机场，旁边有一座白色的建筑物。他们安全着陆。

贝克夫人带领着他们走向那座建筑物。两旁停着两辆高级轿车，司机站在车旁。显然这是某个人的私人机场，因为没有正式的接待处。

"旅行结束，"贝克夫人高兴地说，"我们都进去，好好洗一洗，打扮一下吧。汽车已经准备好了。"

"旅行结束了？"希拉里盯着她，"但是我们还没有——我们根本没有穿越大海呢。"

地狱之旅

"你希望穿越大海?"贝克夫人看上去很惊讶。希拉里很疑惑地说:

"哦,是的。是的,我是这样想的。我想……"她闭上了嘴。

贝克夫人点了点头。

"哦,很多人都这么想。关于'铁幕政策'有很多胡说,但是我敢说,铁幕可能在任何地方。人们都想不到这一点。"

两位阿拉伯侍者接待了他们。洗过澡,全身精神饱满,他们坐下来享用了些咖啡、三明治和点心。

然后贝克夫人看了看手表。

"哦,再见,伙计们,"她说,"我要在这里和你们告别了。"

"你要回到摩洛哥?"希拉里很惊讶地问道。

"还不完全是这样,"卡尔文·贝克夫人说,"我已经被认定在空难中烧死了! 不,这次我要以不同的身份踏上新的旅程。"

"但是还有人会认出你,"希拉里说,"我的意思是,卡萨布兰卡或者非斯的宾馆里见过你的人会认出你。"

"啊,"贝克夫人说,"但是他们肯定弄错了。我现在拿着不同的护照,我现在是已经丧生的卡尔文·贝克夫人的一个妹妹。我的姐姐和我应该长得非常相像。"她又补充说,"对于偶然见过的人而言,在宾馆遇到的外出旅行的美国女人长得差不多都一样。"

是的,希拉里想,这倒是真的。在外表上,贝克夫人身上那些不重要的特点仍然那么醒目：干净利落、衣着整齐、蓝色头发精心地梳理过、说话声音既单调又唠叨。但是她意识到，她的内心却是经过精心地伪装，一点儿也看不出来。卡尔文·贝克夫人给大家以及她的同伴们展现的只是一个外表，但是在这个外表后面隐藏的东西却是深不可测的。仿佛她故意把容易辨认的特性加以掩饰似的。

希拉里有些冲动，不得不开口。她和贝克夫人站在远离其他人的地方。

"人们不知道，"希拉里说，"你到底是什么样的人？"

"你为什么想知道？"

"是的。为什么我想知道？然而，你知道，我感到我应该知道。我们相当亲密地在一起旅行，让我感到奇怪的是我却对你一无所知。我的意思是，关于你的本质、你的所感所想、你的喜好和厌恶、对你重要的或者是无关紧要的事情，都一无所知。"

"天哪，你真是个追根问底的人，"贝克夫人说，"如果你能接受我的忠告，就控制住这种性格。"

"我甚至不知道你来自美国的什么地方。"

"那也不重要。我已经和我的国家脱离关系了。为什么我再也不会回到那个地方，当然自有原因。如果我能对那个国家进行报复的话，我会很乐意这么做的。"

就在一刹那间，她的表情和声调中都充满了恶毒。然后她的声音又变得轻松，恢复到愉快的旅游者的腔调。

"哦，再见，贝特顿夫人，我希望你能和你的丈夫愉快团聚。"

希拉里无助地说：

"我甚至都不知道自己在哪里，我的意思是我在世界
的哪个地方。"

"哦，那很简单。现在没有什么可以隐瞒的了。我们
在非洲阿特拉斯山一个偏远的地方。快到了——"

贝克夫人走开了，开始同其他人告别。最后，她高兴
地挥了挥手，向停机坪走去。飞机刚刚加满油，飞行员正
站在飞机旁等着她。希拉里感到一丝寒意从身上掠过。
她感到这里是她与外面世界唯一的联系。彼得斯站在她
的身旁，似乎感受到了她的反应。

"我想，我们，"他轻声说道，"没有退路了。"

巴龙博士轻声说：

"夫人，你还有勇气吗？或者说在这一刻，你是否想
跟着你的美国朋友一同爬上飞机，回到——回到你已经
离开的世界去？"

"如果我愿意，我就能走吗？"希拉里问道。

这位法国人耸了耸肩膀。

"这可难说。"

"我要叫住她吗？"安迪·彼得斯问道。

"当然不。"希拉里尖声说道。

黑尔佳·尼德海姆轻蔑地说：

"这里没有懦弱女人的生存空间。"

"她不是一个懦弱的人，"巴龙博士轻声说道，"她只
是问任何聪明女人都会问自己的问题。"他强调了"聪

明"这个词,仿佛是在影射这个德国女人。然而她对他的说话口气无动于衷。她憎恶所有的法国人,快乐地信奉着自己的价值观。埃里克松神经质地高声说道:

"当一个人最终达到自由时,甚至不能回想一下过去吗?"

希拉里说道:

"但是如果不可能回到过去,或者选择回到过去,那么这就不是自由!"

一位侍者走过来对他们说:

"各位请吧,汽车准备出发了。"

他们穿过建筑物对面的门,走出去。两辆凯迪拉克正等着他们,车上坐着身穿制服的司机。希拉里表示喜欢和司机一起坐在前排位置。她解释道,大轿车行驶时来回摇晃偶尔会使她感到晕车。这个解释看起来很容易被大家接受。当汽车向前行驶的时候,希拉里不时地和司机随便聊聊天。谈一谈天气呀,汽车的性能很优越呀。她的法语讲得很流利,司机也愉快地回话。他说话的姿态很自然,也很客观。

"我们要走多长时间?"她立即问道。

"从飞机场前往医院吗?驾车要两个小时,夫人。"

听到这句话,希拉里有点惊讶,又有点厌恶。当时她还没有来得及多考虑,她早就注意到黑尔佳·尼德海姆在休息室里换了件衣服,她现在穿戴着医院护士的一套行头,非常合身。

"给我说一说医院的事情。"她对司机说。

他的回答充满热情。

"啊,夫人,非常豪华。所有的设备都是世界上最先进的。很多医生前来参观过,走的时候都赞叹不已。在那里能为全人类做事真的很伟大。"

"一定是,"希拉里说,"是的,是的,的确是很伟大。"

"这些可怜的人们,"司机说,"他们过去被送到一个孤岛上悲惨地死去。但是现在科里尼医生发明的新疗法治愈率非常高,即使那些晚期的病人也能治好。"

"医院坐落的这个地方好像很偏僻。"希拉里说。

"啊,夫人,但是你只能在这样偏僻的环境中生活。当局坚持要把医院建在一个荒凉的地方。但是这里的空气很好,真是棒极了。你看,夫人,你可以看见我们要去的地方了。"他指了指说。

他们正在接近一座山脉的山坳,靠着山坡的一侧,有一幢闪闪发光的白色长条形建筑物坐落在紧靠山坡的平地上。

"多么伟大的成就,"司机说,"在这里建造这么一幢建筑。造价一定高得惊人。夫人,我们把它归功于世界上富有的慈善家们。他们不像政府那样,做事总是越省越好。这里可是花钱如流水。他们说,我们的资助人是世界上最富有的人之一。他的确在这里建造了一座解除人类痛苦的伟大建筑。"

他开上一条蜿蜒的小路。最后在装有粗大铁条的大铁门前停下。

"你们必须在这里下车,夫人,"司机说,"不允许我驾车穿过这些大门。停车场距离这里一公里远。"

旅行者们下了车。大门上有一根拉铃索,可是他们还没来得及拉动,大门就缓慢地打开了。一个身穿白袍、脸色黝黑的人微笑着向他们鞠躬致意,招呼他们进去。他们穿过了大门。门的一侧,有一个高高的铁丝隔离网,里面有一个大院子,人们在里面来回散步。当这些人转过头看这些新来的人时,希拉里恐惧地喘了口气。

"他们是麻风病人!"她大声叫道。"麻风病人!"

一阵恐惧传遍了她的全身。

第十一章

　　随着哐啷一声响,麻风病院的大门在这群旅行者身后关闭了。这一响声撞击得希拉里心惊肉跳,无异于预示着恐怖的结局。好像是在说,你们所有进来的人,放弃一切希望吧……她想,这就结束了……真的结束了。任何有可能的退路现在都被切断了。

　　现在她孤身一人处在敌人的包围中,最多一会儿的功夫,她就要面对被发现的危险,计划也将失败。她整天蒙眬地意识到这一点。但是人类精神中某种不可击溃的乐观精神,个人不可能一下子消失的坚定信念使她把这事实掩盖起来。在卡萨布兰卡,她曾问杰索普,"我什么时候见到汤姆·贝特顿?"他坚定地说那正是最为危险的时刻。他还补充说,他希望到那时候他有可能为她提供某种保护。但是希拉里意识到,得到保护的希望已经不能变成现实。

　　如果"赫瑟林顿小姐"真是杰索普派来的密探,那么"赫瑟林顿小姐"已经被暗算了,只能承认在马拉喀什的计划失败。但是不管怎样,赫瑟林顿小姐又能做些什么呢?

　　这伙旅行者们已经到达了一个没有退路的地方。希拉里曾和死亡进行赌博,但赌输了。她现在知道杰索普的分析是正确的。她不再想死亡了。她想活下去。活下去的热情又在她身上点燃起来。她带着一种悲伤的怜悯之情想起奈杰尔，想起布伦达的坟墓。她不再陷入那种冷酷而沉闷的绝望之中了，那种绝望曾促使她想一死了之。她想："我复活了，身体健全，神志清醒……现在我就像一只被捕鼠器夹住的老鼠。只要有办法逃出去……"

她并不是从来没有考虑过这个问题。她考虑过。但是在她看来，一旦同贝特顿见了面，她就没有出路了……

贝特顿会说："那不是我的妻子——"就会是那样的！众目睽睽……意识到……原来是隐藏在他们中间的间谍……

还有什么其它的办法？假如她先发制人呢？假如在汤姆·贝特顿开口之前，她大声地喊——"你是谁？你不是我的丈夫！"如果她能假装大发雷霆、震惊、恐怖万状——可能引起他们对贝特顿的怀疑吗？怀疑贝特顿是否就是贝特顿——或者其他的科学家被派来假扮他。换句话说，一个间谍。但是如果他们信以为真，那么可能对贝特顿很不利！但是，她想，她的脑子不知疲倦地思考着，如果贝特顿是个叛徒，一个愿意出卖国家机密的人，还有什么"对他不利的事情"呢？她在想，评价一个人的忠实程度——或者对人或物做出任何判断，是多么的困难……不管怎样，引起对他的怀疑，这可能值得试一试。

她感到一阵眩晕，思绪又恢复了正常。而老鼠落入捕鼠器的感觉，却一直在她心里翻腾。但是与此同时，她表面上却表现得依然平静。

这个从外面世界来的小团体受到了一位高个子英俊男人的欢迎——他好像是位语言学家，因为他跟每个人打招呼时都用对方的语言。

"很高兴认识您，我亲爱的博士①，"他小声对巴龙博士说，然后转向她：

"啊，贝特顿夫人，我们非常欢迎您能来这里。恐怕这是一趟让人困惑的长途跋涉。您的丈夫非常好，当然，他正在耐心地等待您。"

他向她谨慎地微笑了一下。她注意到，这个微笑与他那冷漠暗淡的眼神很不协调。

"你一定，"他继续说道，"急切地想见到他。"

她感到头晕得更厉害了——好像周围的人像海浪一样冲上来，又退下去。在她的身边，安迪·彼得斯伸出一只胳膊稳住了她的身子。

"我猜你还不知道，"他对欢迎他们的主人说，"贝特顿夫人在卡萨布兰卡遭遇了一场惨烈的空难——患上了脑震荡。这趟旅行不利于她的康复，再加上她期待见到丈夫的激动。我说，她应该立即到一间光线昏暗的房间里躺着休息。"

希拉里从他的声音和支撑她的臂膀中感受到了他的好意。她又摇晃了一下。本来一下子软弱无力地跌倒在地上很容易……装作毫无知觉——或者近乎失去知觉。

---

① 原文为法语。

然后被抬到一间黑暗房间的床上——稍微把被识破的时间推后一点……但是贝特顿会来这里看她——任何丈夫都会这么做。他会来到这里,在昏暗的光线下俯下身子,当听到她的低声说话,看见她脸庞模糊的轮廓时,他的眼睛就适应了模糊的光线,他会认出她不是奥利芙·贝特顿。

希拉里鼓起了勇气。她直起身子来。面颊上焕发出容光。她昂起头。

如果这样就是结束,也要是个壮烈的结局!她要去见贝特顿,当他否认她是自己妻子时,她就尝试说出最后的谎言,自信和无畏地说出来:

"不,当然我不是你的妻子。你的妻子——我十分抱歉,太可怕了——她死了。当她死去的时候,我在医院陪着她。我答应她我要找到你,把她临终的遗言告诉你。我想这样做。你知道,我对你所作的事情表示同情——对你所有正在做的事情表示同情。在政治上,我和你意见一致。我想帮助……"

勉强,勉强,所有的都太勉强了……用这么笨拙的理由进行解释——假的护照——伪造的证明信。是的,但是人们有的时候运用最为大胆的谎言就能成功——只要大言不惭而振振有辞——只要你能蒙混过去。那么无论如何都可以平息冲突。

她挺直了腰杆,慢慢地摆脱彼得斯的搀扶。

"哦,不。我必须见到汤姆,"她说,"我必须去见他——现在——马上去——请让我去吧。"

这个高个子男人对这件事很热心，也很同情。(尽管冷漠的眼睛仍然是暗淡无光和警惕。)

"当然，当然，贝特顿夫人。我十分理解您是什么感受。啊，这位是詹尼森小姐。"

一位瘦瘦的戴眼镜女孩儿加入了他们。

"詹尼森小姐，见一见贝特顿夫人，尼德海姆小姐，巴龙博士，彼得斯先生，埃里克松医生。带着他们去登记处，好吗？给他们点喝的。我们一会儿再见。我单独带着贝特顿夫人去见她的丈夫。一会儿我再和你们会合。"

他又转向希拉里，说：

"跟我来，贝特顿夫人。"

他在前面走，她跟在后面。在道路的一个转弯处，她最后一次向后面看了一眼。安迪·彼得斯仍然注视着她。他脸上带着一点疑惑、不悦的表情——她曾在一刹那以为他会跟她一起走的。她想，他一定意识到了，从我身上意识到有些不对劲儿，但是他不知道是什么不对劲儿。

她微微颤抖了一下，想："也许这是最后一次见他了……"因此，当她跟着向导转过拐角时，她举起手，向他挥手告别……

高个子男人高兴地说着话。

"这边请，贝特顿夫人。恐怕你第一次走会发现我们这里很容易迷路，这么多走廊，每个地方都是一样的。"

希拉里想，就像一个梦，好像在梦中走在一条白色而干净的走廊上，拐了一个又一个弯，继续向前走，永远找不到出口……

她说：

"我没有意识到这会是一个——医院。"

"不，不，当然。一切都难以预料，不是吗？"

他的声音里带着一点虐待狂的那种快感。

"正如他们说的那样，你进行的是'盲目飞行'。顺便说一下，我的名字叫范·海德姆。保罗·范·海德姆。"

"有一点儿奇怪——相当的可怕，"希拉里说，"那些麻风病人……"

"是的，是的，当然。独特的一景——通常会出乎人们的意料。的确是让新来的人感到心烦意乱。但是你会习惯的——哦，是的，到时候你会习惯的。"

他微微地咯咯笑了一下。

"一个非常棒的玩笑，我一直这么认为。"

他突然停顿一下。

"要上一段楼梯了——现在不要着急。放松。就要到了。"

就要到了——就要到了……这么多要命的台阶……上——上——高高的台阶，比欧洲的台阶还要高。现在走到了另外一个通道里，范·海德姆在一个门前停下来。他敲了敲门，等了一会儿，然后打开了门。

"啊，贝特顿——我们终于到了。你的太太！"

他站在门旁边，微微地挥了挥手。

希拉里走进房间。没有犹豫。没有退缩。振作精神。走向命运的判决。

一个男人站在窗下，他的长相好看得让人吃惊。她注意到，看到他英俊的面容的确让她有一种几乎吃了一惊的感觉。无论如何，他不是她心中想象的那个汤姆·贝特顿。显然，不像她看过的贝特顿的照片——

混乱惊讶的感觉让她迟疑不决。她要不顾一切地做一个大胆的决定。

她迅速地向前挪动了一下，然后向后退了几步。她突然喊出声来，带着震惊、失望……

"但是——那个人不是汤姆。那个人不是我的丈夫……"她感到自己戏演得很好。具有戏剧性，但是不过火。她的眼睛带着疑问看着范·海德姆。

然后汤姆·贝特顿笑了。发出了从容、开心、几乎得意洋洋的笑声。

"真是太好了，嗯，范·海德姆?"他说，"就连我的妻子都不认识我了!"

他向前迈了四大步就走到她跟前，把她紧紧地揽在双臂中。

"奥利芙，亲爱的。当然你认识我。即使我的模样和以前不大相同了，我也确实是汤姆·贝特顿。"

他的脸紧紧贴住她的脸，嘴唇贴在她的耳边，她听到他轻轻的低语声。

"假装演戏。看在上帝的分儿上。危险。"

他松开了她一会儿，接着又抱住她。

"亲爱的! 好像过了好多年——好多年，好多年。但是你终于来到我身边了!"

她可以感觉到他放在她的肩胛上的手指头带有警示的压迫感,仿佛在警告她,并传递一种急迫的信息。

仅仅过了一会儿,他松开她,把她推开一点儿,看着她的脸。

"我仍然不能相信,"他带着一点兴奋的微笑说,"你现在应该认出我来了吧?"

他的眼神炽热地对视着她的眼睛,仍然带着告诫她的信息。

她不明白——不能明白什么意思。但是上天让奇迹发生了,她重新振作精神,决心扮演自己的角色。

"汤姆!"她说,她的声音非常动人,她自己的耳朵也听得出来。"哦,汤姆——但是——"

"外科手术!维也纳的赫兹在这里。他简直是个奇才。别说你对我那扁扁的老鼻子感到遗憾。"

他又轻轻地亲了她一下,然后转头看着监视着他们的范·海德姆,并投以一丝抱歉的微笑。

"请原谅我们的激动,范·海德姆。"他说。

"正常,很正常——"这个荷兰人很友善地微笑着说。

"经过了这么长时间的旅行,"希拉里说,"我——"她身子有点摇晃;"我——请,能不能坐下?"

汤姆·贝特顿立即把她搀扶到一把椅子上。

"当然,亲爱的。你现在累坏了。经过那么恐惧的旅程。飞机失事。我的天哪,竟然大难不死!"

（这么看来，他们确实消息灵通。他们都知道空难的事情。）

"这次空难让我头脑不清，糟糕透了，"希拉里说，脸上露出一丝歉意的微笑，"我变得健忘，脑子一片混乱，还总是头疼得很厉害。刚才，看到你就像见了一个陌生人一样！亲爱的，我有点稀里糊涂。我希望我不会成为你的累赘！"

"你是累赘？从来不是。你尽管休息好了。我们在这里有的是时间。"

范·海德姆轻轻地向门口走去。

"现在我要走了，"他说，"过一会儿，你带你的妻子到登记处，贝特顿？你们先单独呆一会儿。"

他走出去，随手把门关上了。

贝特顿立即在希拉里身旁跪下，把脑袋埋入她的臂膀中。

"亲爱的，亲爱的。"他说。

她又感到了他手指头给她警示的压迫感。他说话的声音小得几乎难以听到，但是很迫切和紧急。

"继续演下去。可能会有窃听器——谁知道呢。"

当然有这个可能。没有人知道……恐惧——不安——半信半疑——危险——危险总是相伴——她可以从空气中感受到。

贝特顿直起腰来。

"见到你真是太棒了，"他轻声说道，"你知道，这就像做梦一样——难以置信。你也有这样的感受吗？"

"是的,这就是一个——梦——在这里——最终——和你在一起。汤姆,这好像不是真的。"

她把两只手放在他的两个肩膀上。她看着他,嘴唇上露出一丝微笑。(除了窃听器,可能还有监视孔。)

她冷静和镇定地对她面临的情况加以评估。一个长相不错的三十多岁的男子被吓坏了——几乎到了忍无可忍的地步——而这个人本来是满怀希望而来,但是最终落得如此下场。

现在她已经迈过了第一道坎儿,希拉里感到扮演这个角色有一种无比寻常的兴奋。她一定就是奥利芙·贝特顿。做奥利芙会做的事情,想奥利芙所想。生命如此不现实,反而显得一切十分自然。被人们叫做克雷文·希拉里的那个人已经从空难中死去了。从现在开始,她不会再记起她了。

相反,她又回忆起了她刻苦学习的关于奥利芙个人情况的那些课程。

"离开弗班克好像是很久以前的事情了,"她说,"惠斯科斯——你记得惠斯科斯吗?她生小猫了——就在你走了之后。发生了很多事情,每天都有可笑的事情发生,你根本不可能知道。看起来真奇怪。"

"我明白。旧的生活离我们而去,新的生活开始了。"

"在这里好吗?你快乐吗?"

这是一个妻子很必要问的问题,每个妻子都会问。

"棒极了。"汤姆·贝特顿放平肩膀,回过头来。从他那张微笑着充满自信的脸上露出了不快和恐惧的神情。"这里设备齐全,经费充足,工作条件棒极了。还有这个组织!难以置信。"

"哦,我确信是这样。说到我的这趟旅行——你也是以同样的方式来到这里的吧?"

"不谈这个事情。哦,亲爱的,我并不是故意怠慢你。但是——你知道,你一切都得从头学起。"

"但是那些麻风病人?这真的是个麻风病人的收容所吗?"

"哦,是的。确实都是真的。这里有一个医疗团队专门从事这方面的研究。它是完全独立的。你不必担心。它只是一个——伪装得很巧妙的幌子。"

"我明白。"希拉里看了看周围,"这是我们的住所吗?"

"是的。这是会客室,那边是洗澡间,再往那边是起居室。过来,我带你看看。"

她站起来,跟着他穿过一间设备齐全的洗澡间,来到一间宽敞的卧室,里面有一对单人床,一个嵌入式的大厨柜,一个梳妆台,床边还有一个书架。希拉里看着空荡荡的衣橱,觉得好笑。

"我都不知道要往这里面放些什么,"她说道,"我所有的东西就都在我身上了。"

"哦,那样啊。你可以去买些你想要的东西。这里有个时装商场,所有的生活用品、化妆品应有尽有。都是高档货。这个地方配套设施很完善,完全自给自足——在这个楼里,所有你想要的东西都能找到。不需要再到外面去了。"

他轻松地说出这些话,但是对希拉里敏锐的耳朵来说,这些话中隐藏着绝望的情绪。

"不需要再到外面去了。再没有机会到外面去了。你们所有进来的人,放弃希望……这个设施齐全的笼子!就是为了来这个地方,"她想,"这些不同的人抛弃了自己的国家、忠诚、日常的生活,到这里就是为了这个?巴龙博士、安迪·彼得斯、怀揣着梦想的年轻人埃里克松、傲慢的黑尔佳·尼德海姆?他们知道他们要寻找什么吗?他们会满意吗?这就是他们想要的?"

她想:"我最好不要问太多问题……如果有人在偷听的话。"

有人在偷听?他们被监视了?汤姆·贝特顿显然认为有这个可能。但真的是这样吗?还是他神经过敏——变得歇斯底里了?她想,汤姆·贝特顿几乎就要崩溃了。

"是的,"她坚定地想,"六个月以后,我也可能这样……"她想知道,这样的生活,会把人搞成什么样呢?

汤姆·贝特顿对她说:

"你要躺下——休息一会儿吗?"

"不——"她支支吾吾地说,"不,我想不用了。"

"那你最好和我一起去登记处。"

"什么登记处?"

"每个在这里上班的人都要去登记处办手续。他们记录下你的情况。健康状况、牙齿状况、血压、血型、精神状况、爱好、讨厌的事情、过敏药物、智力以及喜好。"

"听起来像军队——或者说是医院?"

"两者都是,"汤姆·贝特顿说,"都是。这个组织——真的很强大。"

"大家都这么说,"希拉里说,"我的意思是隐藏在'铁幕政策'后的每件事都是经过周密计划过的。"

她尝试着让声音中带着恰如其分的兴奋之情。

毕竟,奥利芙·贝特顿被认为是个组织的同情者,尽管也许还没有人说她是个组织成员。

贝特顿含糊其辞地说:

"有很多事情需要你慢慢地明白,"他随即补充道,"最好不要一下子明白太多的事情。"

他又吻了她一下,这个吻是奇怪的,看似温柔的,甚至有激情的,但实际上寒冷如冰,他在她的耳边低声说道,"继续演下去,"然后大声说,"现在去登记处。"

第十二章

登记处是一个女人在办公,她看起来像一个严厉的保育员。她的头发被卷成一个丑陋的发卷,戴着一副夹鼻眼睛,看起来办事能力很强的样子。当贝特顿夫妇走进这个类似办公室的房间时,她点头表示欢迎。

"啊,"她说,"你把贝特顿夫人带来了。很好。"

她的英语很地道,但是发音精确得有点装腔作势,这让希拉里感到她很可能不是英国人。实际上,她是个瑞士人。她示意希拉里坐到一把椅子上,打开了旁边的一个抽屉,拿出一叠表格,开始快迅地填写。汤姆·贝特顿很笨拙地说:

"那好,奥利芙,我先走了。"

"请吧,贝特顿博士。把所有的手续都直接办好是再好不过了。"

贝特顿走出去,随手关上门。那个机器人,起码希拉里这么认为,继续填写表格。

"那么现在,"她一副公事公办的样子说,"请告诉我全名、年龄、出生地、父亲和母亲的名字、有无任何严重的病史、嗜好、从事过的工作、大学的学历以及喜欢哪些食物和饮料。"

登记一直进行着,好像有填不完的项目。希拉里呆呆地回答着,几乎变得机械了。她现在很高兴从杰索普那儿获得了准确的情报。她掌握得如此熟练,回答很流利,根本不用停下来思考。机器人填完最后一条内容后说:

"好的,这个部门的手续办好了。现在我们把你送到施瓦茨医生那里进行体检。"

"真的!"希拉里说,"这有必要吗?看起来荒谬至极。"

"哦,我们干什么都一丝不苟,贝特顿夫人。我们要把所有的情况记录下来。你会喜欢施瓦茨医生的。从她那里检查完毕后去鲁贝卡医生那里。"

施瓦茨医生是一位漂亮和蔼的女性。她对希拉里进行了仔细的体格检查,然后说:

"好!检查完了。现在你去找鲁贝卡医生。"

"谁是鲁贝卡博士?"希拉里问道,"也是一位医生?"

"鲁贝卡博士是个精神病专家。"

"我不想看精神病医生。我不喜欢精神病医生。"

"请不要激动,贝特顿夫人。你不会做任何治疗。只是进行一个智力测验,看看你是什么样的性格。"

鲁贝卡医生是个高个子的瑞士人,大约四十岁,显得很忧郁。他向希拉里问候之后,扫了一眼从施瓦茨医生那里递来的卡片,很满意地点了点头。

"你的健康状况良好,我很高兴,"他说,"我知道,你最近经历了一起空难。"

"是的,"希拉里说,"我在卡萨布兰卡的医院里住了四五天。"

"四五天时间根本不够,"鲁贝卡医生责备地说道,
"你应该多住几天。"

"我不想在那里多呆。我想继续我的旅程。"

"那当然可以理解,但是脑震荡需要充分的休息,这
很重要。你可能看起来会很健康,很正常,但是会有严重
的后遗症。是的,我看你的神经反射不是很正常。毫无
疑问,部分原因是旅途的兴奋,另外就是脑震荡引起的。
你头疼吗?"

"是的。非常严重的头疼。我脑子里时不时地犯糊
涂,记不清楚事情。"

希拉里感到强调这一点很重要。鲁贝卡医生安慰地
点了点头。

"是的,是的,是的。但是不要让自己过分担忧。一
切都将过去。现在我们要进行几个相关测试,看一看你
是什么类型的智力。"希拉里感觉有点紧张,但是一会儿
就消失了。测试看上去只是例行检查。鲁贝卡医生在一
张长长的表格上填上了各种各样的内容。

"很荣幸,"他最后说,"能给根本不是天才的人进行
检查(请原谅,夫人,请不要曲解我要说的话)!"

希拉里笑了。

"哦,我当然不是一个天才,"她说。

"对你来说很幸运,"鲁贝卡医生说,"我能向你保
证,你呆在这里就更加平安无事了。"他叹了口气说,"你
可能知道,在这里,我检查过的人大多数都是才智敏捷,

但这种人精神压力很大，很容易变得失衡。夫人，从事科学研究的人并不是小说中塑造的那种冷静和沉着的样子。事实上，"鲁贝卡医生思索着说，"在一流的网球手、歌剧女演员以及一位核物理专家之间，他们的情感稳定性真的没有太大区别。"

"也许你是对的，"希拉里说，她想起别人想必认为自己同科学家在一起生活过若干年，"是的，他们有时候的确喜怒无常。"

鲁贝卡医生富有同情地摆了摆手。

"你不会相信，"他说，"这里常出现情绪问题！争吵、猜忌、暴躁！我们不得不采取措施处理这些问题。但是至于你，夫人，"他笑着说，"你在这里属于少数阶层，幸运的一类人，如果我可以这样说的话。"

"我还不很明白，什么样的少数人？"

"妻子们，"鲁贝卡医生说，"这里没有很多人带夫人来。只有很少的人允许带妻子来这里。我们发现她们基本上没有受到他们丈夫或者他们丈夫的同事们神经性错乱的影响。"

"妻子们在这里做什么？"希拉里问道，她又带着歉意补充道，"你知道一切对我都很陌生。我还不知道这里的任何事情。"

"当然不知道。这很正常。一定会是这样的状况。这里有各种各样的业余爱好、娱乐、消遣和教育等活动。涉及的领域很宽广。我希望你能找到一种惬意的生活。"

"像你那样？"

这是一个颇为大胆的问题。稍后一段时间希拉里怀疑问这个问题是否明智。但是鲁贝卡医生看起来很高兴的样子。

"夫人,你问得很对,"他说,"我发现这里的生活极其平静而有趣。"

"你从没有怀念过——瑞士?"

"我不是个喜欢思乡的人。对我而言,一部分原因是我的家庭条件不好。我有一位妻子和几个孩子。夫人,我这个人不太适合过家庭生活。这里的条件使我生活得更愉快。我有足够的机会研究我感兴趣的关于人类大脑的某些问题,我正在写一本这方面的书。我不用照顾家庭,不用分心,没有干扰。这里非常适合我。"

"下面我要去哪里?"希拉里问道。这时他站起来,很礼貌和正式地同她握手。

"拉罗切小姐会带你去服装部。检查结果,我敢肯定"——他鞠了一个躬——"会是非常好的。"

经历了前面几个严厉得像机器人一样的女人后,希拉里发现拉罗切小姐是个和蔼的人,这让她感到很惊讶。拉罗切小姐以前是法国巴黎一家高档时装店的售货员,她待人的方式极其温柔。

"夫人,我很高兴认识您。希望我能帮上您的忙。既然您刚刚到这里,毫无疑问很疲惫了,我建议您现在只挑选几件必备的衣服。明天以及接下来的一整周时间里,您可以悠闲地逛一逛我们的商店。我一直认为,急匆匆地挑选东西是件很烦人的事情。这会破坏穿衣打扮的乐趣。如果您同意,我建议今天只选择一套内衣、一套宴会服装,也许还要一套女装。"

"这听起来真讨人喜欢,"希拉里说,"我真没法说,除了一把牙刷和一块海绵之外,我什么都没有。"

拉罗切小姐愉快地笑了笑。她迅速给希拉里量了尺寸,把她领进装有嵌入式橱柜的大房间。里面挂着用料上乘、裁剪精良、样式齐全的各类尺寸的服装。当希拉里选了一些最必要的衣服后,又走进了化妆部。希拉里选择了香粉、香波和其它化妆品。这些东西都交给了一位助手,是个瘦高、脸色黝黑的当地女孩儿,穿着一身纯白的衣服。拉罗切小姐吩咐说这些东西务必要送到希拉里的房间里去。

希拉里感觉经历的整个过程更加像做梦了。

"我希望我们不久能再见面,"拉罗切小姐很文雅地说,"夫人,能帮您挑选东西真是一种很大的快乐。请不要告诉别人,我的工作有时候也很令人失望。这些从事科学研究的女士们对梳妆打扮毫无兴趣。实际上,不到半个小时前,我见到了一位和您一起旅行的人。"

"黑尔佳·尼德海姆?"

"啊,是的,就是这个名字。当然,她是个德国人,德国人对我们没有同情心。如果她能稍微保养一下身材,她实际上长得不丑;如果她修饰一下自己,她会看上去很漂亮。但是她没有!她对穿衣打扮毫无兴趣。我知道她是一个医生,某个领域的专家。我们只能希望她对她的病人比她对穿衣打扮更感兴趣了——哎!那种人,什么样的男人会多看她一眼?"

这时,詹尼森小姐,就是他们到达时见到的那位瘦高个子、黑皮肤、戴着眼睛的女孩儿走进了时装沙龙。

"贝特顿夫人,这里完事了吗?"她问道。

"是的,谢谢你。"希拉里说。

"那么你跟我去见一下副院长。"

希拉里与拉罗切小姐告别后,跟着这位认真的詹尼森小姐走了。

"谁是副院长?"她问道。

"尼尔森博士。"

希拉里想了想,这个地方的每个人都有个什么博士头衔。

"尼尔森博士到底是谁?"她问道,"医学博士、科学博士,还是其他什么的?"

"哦,贝特顿夫人,他不是医生。他主管行政。所有的申诉都要报给他。他是这个机构的行政主管。新人到来时,他会同他们见面。与他见过面之后,我想你再也不会见到他,除非发生了十分重要的事情。"

"我知道了,"希拉里温顺地说,她为自己如此安分而感觉有点好笑。

到尼尔森博士的办公室需要穿过两间接待室,速记员们正在里面工作着。她和她的向导最后走进了里面的密室,尼尔森博士从一张很大的办公桌后站起来。他个头高大、面色红润,给人彬彬有礼的感觉。希拉里想,尽管他的美国口音不重,但一定是个美国人。

"啊!"他一边说着,一边站起来走到希拉里跟前握手,说道,"这是——是的——我看看——是的,贝特顿夫人。很高兴在这里欢迎您,贝特顿夫人。希望您能和我们一起过得愉快。很抱歉听到您在旅途中遭遇了不幸的空难,但是我很高兴后果不严重。是的,您很幸运。真的很幸运。哦,您的丈夫一直在焦急地等待着你,我希望现在您能安定下来,和我们一起快乐地生活。"

"谢谢,尼尔森博士。"希拉里坐到了他为她搬过来的一把椅子上。

"您有什么问题要问我吗?"尼尔森博士把身子探过桌子,一副启发她发问的样子。希拉里笑了笑。

"这是最难回答的一个问题,"她说,"当然,真正的答案是我有很多问题要问,但是不知道从哪里开始。"

"当然,当然。我明白。如果您能采纳我的建议——只是建议,您知道,没有别的意思——我不该问您任何问题。只是让您自己适应环境,看一看会发生什么事情。这是最好的方式,相信我。"

"我感觉我知道的事情太少,"希拉里说,"一切都这么——这么出人意料。"

"是的。大多数人会这样认为。人们普遍认为自己到达的地方是莫斯科。"他愉快地笑着,"我们这个偏僻的家让大多数人大吃一惊。"

"这当然也让我大吃一惊。"

"哦,我们不会给大家预先说很多事情。您知道,他们可能不会很谨慎,而保持谨慎是相当重要的。但是您在这里会感到很舒适,您会发现的。任何您不喜欢的事情——或者非常想得到的东西……只需要提出要求来,我们会着手解决的!例如任何艺术方面的要求。绘画、雕刻、音乐,我们有专门的部门负责这些事务。"

"我恐怕没有那方面的才华。"

"哦,这里也有很多社交生活。您知道,运动。我们有网球场,壁球场。我可以这样说,我们常常发现,大家只需要一两周的时间就能适应这里的生活,尤其是妻子们。您的丈夫进行他的工作,他很繁忙,有时候妻子们很快就能找到性格相投的其他妻子们做伴,都这样。您明白我的意思。"

"但是人们——人们——要呆在这里?"

"呆在这里?我不是很明白您的意思,贝特顿夫人。"

"我的意思是,要呆在这个地方,还是去别的地方?"

尼尔森博士的回答变得相当含糊。

"啊,"他说,"那要取决于您的丈夫。啊,是的,是的,很大程度上取决于他。有很多可能。各种可能。但是最好现在不谈这个。您知道,我建议您——哦——或许三周后再来见我一次。告诉您我您的安顿情况等等之类的事。"

"一个人可以出去吗?"

"贝特顿夫人,出去?"

"我的意思是走出墙外,走出大门。"

"这是个很自然的问题,"尼尔森博士说,他的态度变得相当和蔼。"是的,非常正常的问题。大多数人来这里的时候都会这么问。但是我们这个机构的特点是,这里本身就是一个世界。如果我可以这样表达的话,没有出去的必要。这外面都是沙漠。贝特顿夫人,我不怪您。大多数人刚来的时候会有这样的想法。轻微的幽闭恐怖症。那就是鲁贝卡医生提出的观点。但是我向您保证,这种情况很快就会成为过去,如果我可以这样表达的话,那是从您来的那个世界带来的残留物。贝特顿夫人,您观察过蚁丘吗?非常有趣的现象。非常有趣,有教育意义。成百上千个微小的黑色昆虫来回忙忙碌碌,如此的认真、热切、有目的性。不过,整个场面却又很混乱。那就是您离开的那个糟糕的旧世界。我向您保证,这里有的是悠闲、高尚的目标和无限的好时光。"他微笑着说,"是一个人间天堂。"

第十三章

"这里像一所学校。"希拉里说。

她再次回到了自己的住所。她挑选的衣服和生活用品已经送到了她的卧室里。她把衣服挂在衣橱里,把其它的东西按照她的习惯收拾好。

"我知道,"贝特顿说,"我刚来的时候也有这样的感觉。"

他们的对话充满了警惕,有点装腔作势。可能有个窃听器的阴影始终笼罩着他们。他转弯抹角地说:

"你知道,我想这没有什么。我想很可能是我想得太多了。但是,不论如何……"

他说到这里就停住了。希拉里知道他没有说出的话是什么,"但是不论如何,我们最好当心一点儿。"

希拉里想,整个事情就像一场稀奇古怪的噩梦。她在这里同一个陌生的男人住在一个房间里,心里那种不安和危险的感觉依然那么强烈,以至于他们丝毫感受不到这种亲密接触的尴尬。她想,这就像是在瑞士登山一样,不用说,你要和向导以及其他登山者分享一间棚屋休息。过了一会儿,贝特顿说:

"你知道,要适应这里需要一点时间。让我们顺其自然,习以为常吧。差不多就像我们仍然在自己家里一样。"

她意识到这是个明智之举。她猜想,这种不真实的感觉还会继续,会继续一段时间。现在他们之间还不能谈关于贝特顿离开英国的原因,他的希望以及他的觉醒。他们身上笼罩着难以言状的危险。过了一会儿,她说:

"我被带着进行了很多检查。体检、精神检查,等等。"

"是的。一直都是这样。我想这很正常。"

"你也进行过这样的检查吗?"

"或多或少吧。"

"然后我去见了——副院长,我想他们是这样称呼他的吧?"

"是的。他主管这里,是个非常有能力,非常出色的行政管理者。"

"但是他根本不是这里真正的头目?"

"哦,不是,这里还有院长。"

"那么——我——还要见院长吗?"

"我想迟早会见到的。但是他不经常出现。他不时地会给我们讲话——他有一种十分催人奋进的性格。"

贝特顿的眉头微微地皱起,希拉里想最好不要谈论这个话题。贝特顿看了看手表说:

"八点开饭。从八点到八点半。我们最好下楼去,你准备好了吗?"

他说话的意思好像他们正住在一家宾馆里。

希拉里已经换上她挑选的衣服。灰绿的柔和图案很协调地映衬着她红色的头发。她把一条很迷人的人造珠宝项链戴在脖子上，然后说准备好了。他们走下楼，穿过走廊，来到一间很大的餐厅。詹尼森小姐迎了上来。

"汤姆，我为你们准备了一个稍微大一点儿的桌子，"她对贝特顿说，"几个和你妻子一起来的人和你们坐在一起——当然还有默奇森夫妇。"

他们走到准备好的餐桌旁。这个餐厅里大部分都是容纳四个、八个或者十个人坐的小桌子。安迪·彼得斯和埃里克松已经入座了，当希拉里和贝特顿走来时，他们站起身。希拉里向两个人介绍了她的"丈夫"。他们坐下，马上又有一对夫妇走过来坐下。这一对就是贝特顿介绍的默奇森博士和夫人。

"西蒙和我在一间实验室工作。"他解释道。

西蒙·默奇森是位高个子、脸色苍白的年轻人，大约二十六岁。他的妻子皮肤黝黑，身体健壮。她带有很重的外国口音，希拉里推断是意大利人。她的教名是比安卡。她很礼貌地向希拉里问候，但是在希拉里看来她有点矜持。

"明天，"她说，"我带你到处走一走。你不是一个科学家，对吧？"

"恐怕不是，"希拉里说，"我没有接受过科学方面的教育。"她补充说，"结婚前，我是一名秘书。"

"比安卡学过法律，"她的丈夫说，"她学习过经济学和商法。有时候她在这里做一些讲座，但是很难找到足够的事情来消磨时间。"

比安卡耸了耸肩膀。

"我要设法努力，"她说，"西蒙，毕竟我陪你来到这里，我想这里有很多事情能够组织得更好。我正在研究这里的状况。既然贝特顿夫人不从事科学工作，或许能帮我一起做这些事情。"

希拉里赶忙答应了这个计划。安迪·彼得斯说了几句让人沮丧的话，把他们逗乐了。

"我感觉自己像是一个刚刚被送到寄宿学校想家的小男孩儿。我很高兴能开始做些工作了。"

"这是一个工作的好地方，"西蒙·默奇森兴奋地说，"没有打扰，能找到所有你想要的设备。"

"你研究什么？"安迪·彼得斯问道。

过了一会儿，三个男人开始了专业讨论，希拉里觉得很难弄明白他们说的话。她把头转向埃里克松，他正靠在椅子上，一副心不在焉的样子。

"你什么感觉？"她问道，"你也感觉像一个想家的小男孩儿吗？"

他看着她，仿佛相距很远似的。

"我不需要一个家，"他说，"所有这些事情：家庭、亲情、父母、孩子，所有这些都是累赘。为了工作，人必须获得充分的自由。"

"你感觉在这里很自由吗？"

"现在还说不出来。希望如此。"比安卡对希拉里说。

"晚饭后，"她说，"有很多活动可以选择。这里有棋

牌室,你可以打桥牌;有个电影院,每周三个晚上有戏剧
演出;偶尔还有舞会。"

埃里克松很厌恶地皱了皱眉头。

"这些活动根本不需要,"他说,"它们消耗精力。"

"对我们女人不是的,"比安卡说,"对我们女人而
言,这些都是必要的。"

他用一种几乎冷漠和厌恶的表情看着她。

希拉里想:"对于他而言,女人也是不需要的。"

"我要早点上床睡觉了,"希拉里说,她故意打哈欠,
"我想今天晚上我不愿意看电影或者打桥牌。"

"是的,亲爱的,"汤姆·贝特顿赶忙说道,"早点上
床休息,好好地睡上一觉,这样更好。记住,你刚刚经历
了一次很疲惫的旅行。"

当他们起身离开时,贝特顿说:

"这里晚上的空气好极了。我们通常会在晚饭后到
屋顶花园走一走,然后再解散去娱乐或者工作。我们上
去呆一会儿,然后你最好上床休息。"

他们坐着电梯上楼,电梯由一位体格健壮、身穿白袍
的当地人操控。比起皮肤白皙的矮个子柏柏尔人,服务
员们肤色更黑,体格也更健壮——希拉里认为他们大概
是某一个沙漠民族的人。希拉里没有料到屋顶花园的景
色如此美丽,也对建造这个花园所花费的巨资感到惊讶。
一定有成吨的泥土运上来。就像《一千零一夜》里的神
话故事一样。花园里池水飞溅,长满了高高的棕榈树、热
带的香蕉树和其它植物,还有用波斯菊图案的彩色瓷砖

铺设的小径。

"真是难以置信，"希拉里说，"这个花园建在沙漠的中心。"她说出了自己的感受，"这就是《一千零一夜》的神话故事。"

"我也这么想，贝特顿夫人，"默奇森说道，"这仿佛是神仙变出来的！哦——我想即使在沙漠里，也没有你做不成的事情，只要有水和钱——很多水和钱。"

"这些水从哪里来的？"

"山脉深处流出的泉水。那是这里得以生存的缘由。"

屋顶的花园中原来有不少人，但是逐渐地，人越来越少。

默奇森夫妇也离开了，他们要去看芭蕾舞剧。

现在剩下的人没有几个了。贝特顿用手拉着希拉里的胳膊来到了栏杆旁边一个空旷的地方。星星在他们头顶闪烁，空气清新、令人精神振奋。他们单独呆在一起。希拉里坐在一个低矮的水泥台子上，贝特顿站在她身前。

"那么现在，"他紧张地小声说道，"你到底是谁？"

她抬头看了他一会儿，没有回答。在她回答这个问题前，她自己还有必须知道的事情。

"为什么你把我认成你的妻子？"她问道。

他们相互看着。没有一个人愿意第一个回答对方的问题。他们之间正在进行一场意念的决战，但是希拉里知道不管汤姆·贝特顿离开英国时是什么样子，他现在的意念不如她自己的坚定。因为她重新梳理了自己的生活,很自信地以全新的状态来到这里——汤姆·贝特顿一直生活在一种被人安排的状态中。因此她是强者。

最后,他把目光从她身上移开,闷闷不乐地小声说道:

"这只是——只是一种冲动。我可能是个该死的蠢货。我以为你可能被派来把我救出去。"

"那么,你想从这里出去?"

"上帝啊,这还用问吗?"

"你怎么从巴黎到这里的?"

汤姆·贝特顿苦笑了一下。

"我不是被绑架或者挟持来的,如果你明白我说的。我是自愿过来的,凭自己的意愿。我带着热情和兴奋之情来这里。"

"当时你知道你要来这里?"

"我不知道我要来非洲,如果你问的是这个意思。我是被人引诱了。什么世界和平,世界上所有的科学家分享科学秘密,脱离资本主义和好战者的压迫——都是些胡言乱语!那个和你一起来的彼得斯也一样,他受到了一样的引诱。"

"当你来到这里时——却完全不是那么一回事儿?"

他又苦笑了一下。

"你会亲眼看到。哦,也许或多或少是那样的!但是并不是你本来想的那个样子。这不是——自由。"

他坐在她的身边,皱起眉头。

"你知道,那就是在家里让我感到不安的事情。一直有一种被监视和窥探的感觉。所有的安全措施，比如必须说出自己的行动，说出自己的所有亲友……我敢说，所有这些所谓必要的事情，最终会让你不安……所以当有人来向你提出建议时——哦，你听……这听起来很动听……"他笑了笑，"人会完蛋的——在这儿！"

希拉里语重心长地说：

"你的意思是你来到的这个环境和你试图逃脱的环境相同？你受到了同样的监视和窥探——甚至更严重？"

贝特顿紧张地把额头的头发往后推了推。

"我不知道，"他说，"说实话。我不知道。我不能确定。这可能是我自己脑子里想象的。我根本不知道我正在被监视着。为什么我要被监视？为什么他们该纠缠我？他们把我带到这儿——带进一个监狱。"

"这里一点也不是你想象的那样吗？"

"这是很奇怪的事情。我想在某种程度上是我想象的那样。工作条件很优越。你拥有各种设备，各种仪器。你可以按照自己的喜好安排工作时间。你拥有一切舒心的生活条件。饮食、衣服、住所，但是你总感觉到自己在监狱里。"

"我知道了。今天，当我们走进来，大门在我们身后哐啷一声关闭的时候，那是一种恐惧的感觉。"希拉里身体颤栗着。

"哦，"贝特顿好像振作起来了，"我已经回答了你的问题。现在回答我的问题。你假装成奥利芙来这里干什么？"

"奥利芙——"她停止说话,感觉着这个名字。

"是的? 奥利芙怎么样了? 她发生什么事情了? 你要说些什么?"

她遗憾地看着他那张憔悴和紧张的脸。

"我恐怕必须要告诉你。"

"你的意思是——她出什么事了?"

"是的。我很抱歉,十分抱歉……你的妻子死了……她正要前来和你相聚,飞机坠毁了。她被送到医院,两天后死亡。"

他两眼直直地盯着前方。仿佛他决定不暴露出任何情绪。他平静地说:

"那么奥利芙死了? 我知道……"

沉默了很长一段时间,然后他转头看着她说:

"好了。我们继续说下去。你代替了她,来到这里。为什么?"

这次希拉里准备好了答案。汤姆·贝特顿本来认为她是被派来"把他救出去",就像他说的那样。事情不是这样的。希拉里的角色只是个间谍。她被派过来是收集情报,也不是谋划帮助一个本来自愿来这里的人从这里逃跑。而且,她没有办法把情报送出去,她和他一样,现在被关在监狱里。

她感到,对他充分的相信是危险的。贝特顿精神几乎崩溃了。他随时都有可能完全垮掉。在这种情况下,指望他能保守秘密是愚蠢的行为。

她说:

"当你妻子死去的时候,我和她都在医院里。我提出取代她,试图见到你。她十分想让人带个消息给你。"

他皱起眉头。

"但是肯定——"

她赶紧继续说下去——在他能够意识到这个谎言的漏洞前。

"这听起来并不是那么可信。你知道,我对那些想法有同感——你刚刚说的那些想法。同所有的国家分享科学的秘密——为了一个新的世界秩序。我也为之疯狂。那么我的头发——如果他们希望见到的是一个年纪相仿的红头发女人,我想我能骗过他们。无论如何,这看起来值得试一试。"

"是的,"他说。他的眼睛扫视了她的脑袋。"你的头发很像奥利芙的头发。"

"那么,你知道,你的妻子一再坚持让我把口信带给你。"

"哦,是的,带口信,什么口信?"

"告诉你要小心——非常小心——你处于危险中——要提防一个叫鲍里斯的人。"

"鲍里斯? 你是指鲍里斯·格雷德尔?"

"是的,你认识他?"

他摇了摇头。

"我从来没有见过他。但是我知道他的名字。他是我前妻的一个亲戚。我知道这个人。"

"为什么他很危险?"

"什么?"

他心不在焉地说。

希拉里重复了自己的问题。

"哦,那个。"他好像从遥远的回忆中缓过神来,"我不知道他为什么对我很危险,但是人人都说,他的确是个危险的家伙。"

"哪方面呢?"

"哦,他是个有点怪异的理想主义者之一,如果这些人认为有个很好理由证明这是正确的,他们会很高兴地杀死一半的人类。"

"我了解你说的这种人。"

她感觉她确实了解——仿佛就在眼前。(但是为什么?)

"奥利芙见过他吗?他对她说了些什么?"

"我说不上来。她就说了这些。关于危险——哦,是的,她说'她简直不能相信'。"

"相信什么?"

"我不知道。"她犹豫了一下,然后说道,"你知道——她就要死了……"

他脸上感到一阵刺痛。

"我知道……我知道……我会适应的,现在我还不能。但是我对鲍里斯感到疑惑。他怎么能在这里对我构成危险呢?如果他见到了奥利芙,他一定在伦敦,我认为?"

"他是在伦敦,是的。"

"那么我只是不理解……哦,好了,这有什么关系?还有任何该死的有关系的事情吗?我们现在身陷在一个被一群没有人性的机器人包围的该死的组织里……"

"他们也给我这样的感觉。"

"我们不能出去。"他用拳头敲打着水泥台,"我们是出不去的。"

"哦,不,我们可以出去。"希拉里说。

他转过头很惊讶地盯着她。

"你到底是什么意思?"

"我们会找到办法的,"希拉里说。

"我亲爱的女孩儿,"他的笑声很轻蔑,"你对这个地方还毫不了解。"

"在战争中,人们都能从最不可能的地方逃跑,"希拉里坚定地说。她不想绝望地放弃。"他们挖地道,或者用别的办法。"

"你怎么能从纯粹的岩石中挖地道?通往哪里?周围全是沙漠。"

"那么只能采取'别的办法'。"

他看着她。她的微笑中充满了信心,而并非天真。

"你真是个非凡的女人!你听起来对自己很有把握。"

"天无绝人之路。我敢说要花费一些时间,需要周密的计划。"

他的脸又沉了下来。

"时间,"他说,"时间……那是我没有办法弄到的。"

"为什么?"

"我真的不知道你是否能够明白……是这样的。我真的不能——在这里干自己的本行。"她皱起了眉头。

"你是什么意思?"

"我怎么解释呢? 我不能工作了。我不能思考了。干我这一行,精神必须要高度集中。这一行需要很多——哦——创造力。自从来到这里之后,我失去了激情。我所能做的就是把低级工作做得出色些。这是任何微不足道的平常家伙都能做的事情。但是那不是他们把我带到这里的目的。他们想要独创的研究工作,我研究不出独创的东西。我越是紧张和害怕,就越是无法搞出任何有价值的成果来。这逼得我发疯,你知道吗?"

是的,她现在明白了。她想起了鲁贝卡医生对歌剧女演员和科学家所作的评论。

"如果我不能拿出有价值的成果,像这样一个机构会做些什么呢? 他们会找我算账。"

"哦,不会的!"

"哦,会的,他们会这么做。这里的人可不是讲感情的。迄今为止我还能被保留着就是因为这个整形手术。你知道,这种手术每次只能做一点。很自然,不能指望一个不断接受小手术的人集中精力工作。但是现在他们已经完成了这个手术。"

"但是为什么要给你做这个手术? 其中的目的是什么?"

"哦,那个! 为了安全。我的意思是,为了我的安全。

如果——如果你是一个'被通辑'的人,就会做这个手术。"

"那么你是一个'被通辑'的人?"

"是的,你不知道吗? 哦,我想他们不会在报纸上把事实登出来。或许即使奥利芙也不知道。但是我现在的确是他们要找的人。"

"你的意思是——'叛国'这两个字,是吗? 你的意思是你把核机密卖给了他们?"

他不敢看她的眼睛。

"我没有出卖任何信息。我告诉他们我所知道的研究进展情况——毫无保留地提供。如果你能相信我的话,我是自愿告诉他们的。这是整个组织运作的一部分——分享科学知识。哦,你不能理解吗?"

她能够理解。她能够理解安迪·彼得斯就是那么做的。她从埃里克松盲目和渴望的眼睛里看见他要背叛祖国的狂热心情。

然而她很难想象出汤姆·贝特顿会这么做——她很震惊地意识到,为什么几个月前怀揣着狂热来到这里的贝特顿与现在这么紧张、情绪低落的贝特顿判若两人。

当她接受这种合乎逻辑的分析的时候,贝特顿紧张地看了看四周,然后说:

"大家都下去了。我们最好——"

她站起身来。

"是的。但是你知道,没关系的。他们会认为这很正常——在这种情况下。"

他笨拙地说：

"我们还要这样继续扮演下去，你知道。我的意思是——你要继续做我的——妻子。"

"当然。"

"我们要住在一个房间。但是不会有事的。我的意思是，你不必害怕——"

他很尴尬地把这句话咽了回去。

"他长得很帅，"希拉里看着他的轮廓想，"怎么一点也打动不了我的心呢……"

"我想我们不必为此担心，"她很高兴地说，"重要的是我们要活着离开这里。"

第十四章

在马拉喀什城马穆尼亚宾馆的一个房间里,那个叫杰索普的人正在和赫瑟林顿小姐谈话。赫瑟林顿小姐和希拉里在卡萨布兰卡和非斯认识的不一样。同样的外表、穿着同样的羊毛衫、梳理着同样沉闷的发型,但是举止完全变了一个样子。现在她是个既活泼又能干的女人,看上去要比她的容貌年轻很多。

房间里的第三个人是个皮肤黝黑、体格健壮的男人,有一双精明的眼睛。他正在用手指头轻轻地敲着桌子,嘴里小声哼着一首法国小曲儿。

"……据你所知,"杰索普说,"这些是她在非斯唯一与之交谈过的人吗?"

珍妮特·赫瑟林顿点了点头。

"这个叫做卡尔文·贝克的女人,我们在卡萨布兰卡就见过面。坦率地说,我仍然不知道她的底细。她有意和奥利芙·贝特顿结交,也和我结交。但是美国人是很友好的,他们确实主动地和宾馆里的人谈话,他们喜欢和别人结伴旅行。"

"是的,"杰索普说,"她有点像我们要找的人。"

"除此之外,"珍妮特·赫瑟林顿继续说,"她也在这架飞机上。"

"你猜测,"杰索普说,"这起空难是策划好的。他朝旁边皮肤黝黑、体格健壮的男人看了看。"你怎么看,勒布朗?"勒布朗不再哼小曲儿,也不再敲打桌子。过了一会儿,他说:

"有可能①。可能有人破坏了发动机,从而导致了飞机坠毁。我们什么也不会知道了。飞机坠毁了,起火了,飞机上所有人都死了。"

"你对飞行员了解吗?"

"阿尔卡迪? 年轻,相当有能力。没有别的了。薪水很低。"他在说最后四个字之前稍稍停顿了一下。

杰索普说:

"因此他可能想从事其它职业,但大概不是因此而自杀吧?"

"飞机上有七具尸体,"勒布朗说,"严重的烧焦,无法辨认,但确有七具尸体。没有人从中逃生。"

杰索普又转过头看着珍妮特·赫瑟林顿。

"你刚才说什么?"他说。

"在非斯,贝特顿夫人同一位法国人说过几句话,还有一位带着一位漂亮女孩儿的瑞典富翁,另有一位富有的石油大亨阿里斯蒂德先生。"

"啊,"勒布朗说,"那个非常成功的单身汉。我经常问自己,拥有世界上那么多财富会是什么感觉? 对于我

---

① 原文为法语。

自己而言,"他坦然地补充说,"我会整日赌马和泡女人,整个世界都要满足我的要求。但是老阿里斯蒂德把自己关在西班牙的一个城堡里——应该说是在西班牙他自己的城堡里,我的天哪——他们说他收集中国宋代的陶器。但是要记住,"他又继续说,"他至少七十岁了。有可能在这个年纪,中国陶器是唯一令他感兴趣的东西。"

"按照中国人的看法,"杰索普说,"六、七十岁这个年龄是一生中最富有的时候,因此最会欣赏和享受生活的美和快乐。"

"但我不是①!"勒布朗说。

"在非斯,还遇到了一些德国人,"珍妮特·赫瑟林顿继续说,"但是据我所知,他们没有和奥利芙·贝特顿有过任何接触。"

"也许同侍者或者仆人谈过话。"杰索普说。

"总会有这种可能。"

"你说她独自去过老城?"

"她和一名正规的导游一起去的。也许在这趟游览过程中有人和她接触了。"

"不论如何,她是非常突然地决定前往马拉喀什的。"

"不是突然决定,"她纠正道,"她已经预订好了。"

"啊,我错了,"杰索普说,"我的意思是卡尔文·贝

---

① 原文为法语。

克夫人非常突然地决定陪同她前往。"他站起来,来回踱着步,"她飞到马拉喀什,"他说,"飞机坠毁了,着火了。不管谁是奥利芙·贝特顿,坐飞机旅行遇上这种事都是不幸的。第一次是在卡萨布兰卡遭遇空难,然后又遇到这一次。这是一起事故,还是有人蓄意制造? 如果有人想除掉奥利芙·贝特顿,应该说还有比制造一起空难更加简单的办法。"

"没有人会知道,"勒布朗说,"听我说,亲爱的。一旦你不把生命当回事了,并且如果把一个装有炸弹的小包裹放到飞机的一个座椅下面比深更半夜等在一个角落,用刀子把这个人捅死更加简单,那么你就会把炸药包放在那里的。另外六个人也一起死了这个事实甚至不会被调查。"

"当然,"杰索普说,"我知道我的观点不会得到别人支持,但是我仍然认为有第三种可能——他们伪造了这起空难。"

勒布朗饶有兴趣地看着他。

"是的,有可能这样做。飞机着陆,点火烧掉。但是你无法解释这个事实,我亲爱的杰索普,飞机上有人。被烧焦的尸体确实存在。"

"我知道,"杰索普说,"那就是我们的绊脚石。哦,我从不怀疑我的观点是异想天开的,但是我们费这样大的力气追踪,而结果却这么简单而干脆。我有这样的感觉。我们的工作就此结束了。我们在报告的空白处写下愿他们安息吧,然后就结束调查。没有其它可以利用的线索了。"他又转头看着勒布朗。"你派人进行搜查了吗?"

"到现在已经搜查了两天,"勒布朗说,"派了很能干的人。当然,这个飞机失事的地点是相当偏僻的。顺便说一句,飞机偏离了航线。"

"这点很重要。"杰索普插进来说。

"最近的村庄、最近的居民以及附近的汽车车痕,所有这些都彻底地调查过了。在这个国家和在你的国家一样,我们充分意识到调查的重要性。我们法国也有几个顶尖的年轻科学家失踪。我的朋友,根据我的意见,控制住一个情绪易激动的歌剧演员比控制一个科学家更容易。这些科学家个个才华横溢,这些年轻人行为古怪、桀骜不驯,最终变得很危险,他们是最容易受骗的人。他们脑子里会幻想些什么? 享乐、光明以及渴求真理和太平盛世? 哎呀,可怜的孩子们,等着他们的只有失望。"

"我们再研究一下乘客的名单。"杰索普说。

这个法国人伸出手,从一个铁丝筐里拿出名单,放到他的同事面前。这两个人一起研究起来。

"卡尔文·贝克夫人,美国人。贝特顿夫人,英国人。托尔奎尔·埃里克松,挪威人——顺便问一句,你知道他的情况吗?"

"我想不起什么,"勒布朗说,"他很年轻,不超过二十七八岁。"

"我知道他的名字,"杰索普皱着眉头说,"我想——我几乎能肯定——他在英国皇家学会上宣读过一篇论文。"

"下面这位是个宗教人士,"勒布朗又翻着名单说,"是修女玛丽亚。安德鲁·彼得斯,也是美国人。巴龙博士,这可是个著名的人物。巴龙博士,一个创作了辉煌的人物,细菌疾病专家。"

"细菌战,"杰索普说,"一切都清楚了。"

"一个薪水微薄,不满现状的人。"勒布朗说。

"多少人前往圣艾夫斯?"杰索普小声说道。

法国人迅速看了他一眼,他微笑着表示歉意。

"这只是古老的儿歌,"他说,"去圣艾夫斯等于一个问号。没有目的地的旅行。"

桌子上的电话响了,勒布朗拿起了听筒。

"喂?"他说,"什么事情①? 啊,是的,让他们进来。"他转向杰索普。他的脸突然变得有活力了。"我的一个手下报告,"他说,"他们找到了一点东西。我亲爱的同事②,可能——我无话可说了——可能你的观点是对的。"

过了一会儿,两个人走进了房间。第一个人长得很像勒布朗那一类型,一样健壮的体格、黝黑的皮肤和精明的头脑。他文质彬彬,但是让人感觉爽快。他穿着一件欧洲服饰,但是很不干净,浑身沾满了污点和灰尘。显然他刚刚风尘仆仆地赶来。和他一起的是一位

① 原文为法语。
② 原文为法语。

身穿白色当地服饰的人。他具有边远地区居民的那种威严的从容神情。他举止谦卑，但并不低声下气。他有点惊奇地看着这个房间，旁边的那个人用熟练的法语讲话。

"我们已经通知当地人给他们搜寻的报酬和路费，"他解释道，"这个伙计和他的家人，以及一大群朋友进行了认真仔细的搜查。我让他把发现的东西亲自交给你们。你们可能也想问问他。"

勒布朗转头看着这个柏柏尔人。

"你干得很好，"他用当地话说，"你有一双雄鹰一样的锐眼，长辈。给我们看一看你发现的东西吧。"他从白色袍子的口袋里掏出了一个小东西，走上前放到法国人身前的桌子上。那是一颗相当大的略带桃红色的白色人造珍珠。

"这个东西不论对我，还是对别人来说，"他说，"是很值钱的，我发现的。"

杰索普伸出手，拿过珍珠，又从口袋里拿出另外一颗很相像的珍珠，仔细鉴别着这两颗。然后他穿过房间，走到窗户前，用一个倍数很大的透镜检查着两颗珍珠。

"是的，"他说，"这里有记号。"现在他的声音里带着欢呼，他走回到桌子旁。"好女孩儿，"他说，"干得好，好女孩儿！她设法留下踪迹了！"

勒布朗用熟练的阿拉伯语询问着摩洛哥人。最后他转过头看着杰索普。

"我表示道歉,我亲爱的同事,"他说,"这颗珍珠是在离飞机坠毁地点几乎半英里的地方找到的。"

"这表明,"杰索普说,"奥利芙·贝特顿是一个幸存者,尽管有七个人乘坐飞机离开非斯,也找到了七具被烧焦的尸体,现在可以完全肯定其中一具尸体不是她的。"

"我们现在扩大搜索范围,"勒布朗说。他又对柏柏尔人和带他进来的人说,"他将得到许诺过的巨额奖金,"勒布朗说,"现在要对整个地区进行搜索,寻找这些珍珠。他们有雄鹰一样的眼睛,找到这些珍珠的下落可以得到奖赏的消息会迅速地传开。我想——我想,我亲爱的同事,我们将会找到答案!只要他们还没有察觉她的意图就好。"

杰索普摇了摇头。

"这是一件很平常的事情,"他说,"大多数女人喜欢佩戴的一条人造珍珠项链突然断开,她显然要把散在地上的珍珠捡起来,把它们塞进口袋里,恰好口袋里有一个小孔,就从里面掉出来了。除此之外,他们为什么要怀疑她?她是奥利芙·贝特顿,迫切地想和丈夫团聚。"

"我们必须重新审视这个案子,"勒布朗说。他把乘客名单递给他。"奥利芙·贝特顿、巴龙博士,"他勾出这两个名字说道,"至少这两个人要去——无论他们去什么地方。这个叫卡尔文·贝克的美国女人,对于她,我们还一无所知。托尔奎尔·埃里克松,你说他在英国皇家学会宣读过论文。这个叫彼得斯的美国人,他的护照上说他是一名化学专家。这个宗教人士——哦,可能进行了身份伪装。实际上,这一伙人来自不同的地方,但是很巧妙地在那一天乘坐同一架飞机出发。然后那一架飞机被发现着火了,飞机里面正好有七具被烧焦的尸体。我在想,他们是怎么操纵这一切的?总之,真是了不起①!"

"是的,"杰索普说,"这就是最令人困惑的地方。但是现在我们知道有六七个人已经开始了一段新的旅行,我们知道他们的出发地。我们下一步的行动——去现场察看一下?"

"但是确切地说,"勒布朗说,"我们碰上了一个狡猾的对手。如果我没有弄错的话,既然我们没有偏离线索,其它证据也会陆续出现。"

"如果我们的推测是正确的,"杰索普说,"应该会有结果。"

计算预测的结果有许多种,也会出现偏差。比如一辆汽车驾驶的速度,行驶的时间,需要加油的距离,旅行者们晚上可能过夜的村庄。迹象有很多,让人迷惑,调查依然令人失望,但不时地也会有积极的调查结果出现。

"这儿,我的队长②!根据你的命令,我们对厕所进行了搜查。在一个叫做阿卜杜勒·穆罕穆德家的厕所里,在一个阴暗的角落里发现了一块粘着珍珠的口香糖。

---

① 原文为法语。
② 原文为法语。

已经对他和他的儿子进行了盘问。起初他们否认，但是最后他们承认了。据说德国考古队的一辆载有六个人的旅行车有一天在他家过夜，给了他们很多钱，他们不准向任何人提起这件事，理由是他们从事的是非法挖掘。艾尔凯夫村的孩子们也找到了两枚珍珠。现在我们知道方向了。还有更多发现，队长先生①。正如你之前说的那样，"法蒂玛之手"被发现了。这个人在这儿，他会告诉你具体情况。"

"这个人"是一个长相粗野的柏柏尔人。

"那天我正在放牧，"他说，"那是傍晚时分，我听到汽车的声音。当它从我身边经过时，我看见了'法蒂玛之手'。我可以告诉你，它在黑暗里闪烁。"

"在手套上涂上磷是非常有效的，"勒布朗说，"亲爱的朋友，亏你想出这样的主意。"

"这是很有用的，"杰索普说，"但是很危险。我的意思是太容易被其他逃跑者们发现。"

勒布朗耸了耸肩膀。

"白天是看不见的。"

"是的，但是如果中途停车，他们在黑夜中下车——"

"即使这样——这也是阿拉伯人盛行的一种迷信。他们常常在马车或者货车上涂漆。这只会被人认为是一

---

① 原文为法语。

些虔诚的穆斯林在他的汽车上涂了发光漆。"

"的确如此。但是我们必须时刻警惕。因为如果敌人们的确注意到了,他们很有可能利用'法蒂玛之手'制造一条假的逃跑痕迹。"

"啊,这一点,我同意你的观点。我们的确要警惕。一直保持警惕。"

第二天早上,当地人又交给勒布朗一块口香糖,上面的三颗珍珠排列成三角形。

"这意味着,"杰索普说,"下一步的旅行是乘坐飞机。"

他疑惑地看着勒布朗。

"你完全正确,"勒布朗说,"这是在一个被废弃的军用机场发现的,位于一个偏远的地方。有迹象表明一架飞机不久前曾在这里起降过。"他耸了耸肩膀,"一架不明飞机,他们又一次起飞前往一个不明目的地。这让我们的调查又陷入僵局,我们不知道下一步该如何跟踪——"

第十五章

"难以置信,"希拉里心想,"真难以置信,我已经在这里呆了十天!"希拉里想,生命中最可怕的事情就是让自己过快地去适应环境。她想起了一次在法国看见的中世纪使用的一种特殊刑具,犯人被关在一个铁笼子里面,不能躺下,不能站立,也不能坐下。导游讲述了最后一个被关进这个笼子里的人在里面如何生活了十八年,被释放后,他又活了二十年,直到最后老死。希拉里想,那种适应力正是人与动物之间的区别。人可以适应各种气候、各种食物以及各种生活条件。人可以在被奴役或者自由的情况下生存。

当来到这里的时候,她首先感到的是一种被囚禁的挫折感,令人产生盲目的恐慌和害怕,在一种奢华的环境中,这种被囚禁的事实被掩盖了,不知怎么,这让她感觉好像更加恐惧。然而现在,只是过了一周的时间,她开始麻木地认为这种生活环境很正常。这是一种古怪的梦游一般的存在状态。没有能让人感到真实的东西,但是她一直感觉这个梦持续了很长时间,还会继续持续很长时间。也许,它会永远持续下去……她会一直生活在这个地方;这就是生活的地方,外面什么都没有。

她想,这种危险的适应环境的能力部分是由于她是个女人。女人天生适应力强。这既是她们的优点，也是她们的弱点。她们察看所处的环境，然后忍受它，就像是现实主义者冷静下来全力以赴做事情一样。最让她感兴趣的是和她一同到这里的那些人的反应。黑尔佳·尼德海姆几乎见不到她的人影，只是偶尔在吃饭的时候能看见。当她们见面时，这个德国女人只是微微地点点头，没有别的表示。据她判断，黑尔佳·尼德海姆很快乐、很满意。这里面的生活显然和她头脑里设想的一个样。她是那种专心于工作的女人，沉溺于天生的傲慢中，舒服地生活着。她自己和她的科学家同事们的优越感是黑尔佳人生信条中第一重要的东西。她心里从没有想过人类间的情谊、和平时代、思想和精神自由这些问题。对她而言，未来是狭窄的，但却是压倒一切的。她自己是优等人中的一员；世界上其他人要受到奴役，要用恩赐的态度对待他们。如果她的同事发表不同观点，如果他们的思想是共产主义，并非法西斯主义，黑尔佳不会理睬他们。只要他们的工作出色，他们就是有用的，他们的思想也会改变。

巴龙博士比黑尔佳·尼德海姆聪明很多。偶尔希拉里会和他说几句话。他完全扑在工作上，对现在的工作条件很满意，但是他这种高卢人爱刨根问底的脑袋让他思索和考虑自己现在所处的环境。

"这里不是我期待的样子。不是，坦率地说，"一天他说道，"贝特顿夫人，对于我来说，我不喜欢囚禁的生活。我们这么说吧，尽管这里的囚笼装饰得光彩夺目，但的确是囚禁的生活。"

"这里没有你想要寻找的自由吗?"希拉里暗示道。

他向她迅速地投以怜悯的微笑。

"不对,"他说,"你错了。我并不是来寻找自由的。我是个文明人。文明人知道没有自由这种东西。只有不经世的人和更加野蛮的民族才会把'自由'这个词放在标语上。必须一直有一个计划周密的安全机构。文明的本质是,生活方式应该是不极端的,即采取中庸之道。人总是要回到中间道路上来的。不。我要坦白地对你说。我来这里是为了钱。"

希拉里听后笑了。她扬起了眉毛。

"在这里钱对你有什么用呢?"

"它支付了非常昂贵的实验室设备,"巴龙博士说,"我用不着再从自己的口袋里掏钱了,因此我能够实现科学理想,满足我自己的求知欲。我是一个热爱工作的人,真的,但是我并不是为了人类而热爱工作。我经常发现,那些为了这种目的工作的人有点头脑不清,常常是些不称职的人。不,我所欣赏的是从研究中获得的纯粹的快乐。至于其它,在我离开法国之前,我获得了一大笔钱。这些钱以另一个名字安全地存在银行里,在适当的时候,当所有这些工作结束的时候,我会拿到这些钱随意支配。"

"当所有这些工作结束的时候?"希拉里重复了这句话,"但是为什么这些会结束?"

"人必须有点常识,"巴龙博士说,"没有永存的事情,也没有能永远坚持的事情。我推断这个地方是一个疯狂的人经营的。让我告诉你,疯狂的人是非常有理性的。如果你有钱、有理性,而且还很疯狂,那么你就可以成功地长期实现自己的幻想。但是最终"——他耸了耸肩膀——"最终,这些都会崩溃。因为你知道,这里发生的事情是不合理的! 不合理的事情必然最终要被清算。同时"——他又耸了耸肩膀——"这非常适合我。"

托尔奎尔·埃里克松,希拉里本以为他会猛然觉醒,但是似乎他对这里的气氛非常满足。他没有法国人那么实际,只是一心按照自己的想法活着。他生活在希拉里不熟悉的,甚至不能理解的一个世界里。那里滋生出一种质朴的快乐,一种对数学计算的专注,一种对无限可能的憧憬。他这种古怪和冷酷的性格让希拉里感到恐惧。她认为,这个年轻人一瞬间的理想主义就能把世界上四分之三的人杀死,就为了剩下四分之一的人能生活在不切实际的、只存在于埃里克松脑子里的乌托邦中。

至于这个美国人安迪·彼得斯,希拉里自己感觉和这个人很谈得来。她想可能是因为彼得斯是个聪明人,决非是个天才。根据别人所说,她推断他的工作水平一流,是个认真的技术熟练的化学家,但不是这门科学的先驱者。像她一样,彼得斯立刻对这里的气氛感到仇恨和恐惧。

"事实是我不知道我要去哪里,"他说,"我本来想我知道,但是我错了。共产党和这个地方一点关系也没有。我们和莫斯科也没有联系。这里只是某种孤立的机构

——可能是一个法西斯机构。"

"难道你不认为,"希拉里说,"你这样说是随意扣帽子?"他想了想。

"可能你说得对,"他说,"想一想,我们谈论的这些话没有太多意义。但是我明白一点:我想离开这里,我的意思是要设法离开这里。"

"这不是很容易。"希拉里小声说道。

饭后,他们一起在屋顶花园的喷泉旁边散步。在黑暗和布满星光的天空映衬下,他们就像置身于某个苏丹皇宫的私家花园里。这个人造的水泥建筑物已经消失在苍茫的暮色中。

"是,"彼得斯说,"是不容易,但是没有不可能做成的事情。"

"我喜欢你这么说,"希拉里说,"哦,听你这么说我真高兴!"

他同情地看着她。

"让你感到沮丧了?"他问道。

"非常沮丧。但是那并不是我真正害怕的。"

"不是? 那么是什么?"

"我害怕习惯了这里的一切。"希拉里说。

"是的。"他思索着说,"是的,我知道你的意思。在这里生活会使人有一种普遍的想法。我想也许你的感觉是对的。"

"在我看来,人们感到反感是更加正常的事情。"希拉里说。

"是的。是的,我也这么想。实际上,我曾想,这里的一切是不是在搞什么名堂。"

"名堂?你这是什么意思?"

"哦,坦白地说,我是说麻醉品。"

"你的意思是指某种毒品?"

"是的。你知道,有可能。放在食物或者饮料里,诱使我们——我该怎么说——顺从?"

"但是有这样的毒品吗?"

"哦,这不是我真正擅长的领域。有种药物可以让人们镇定。在做手术前可以让人们服服帖帖。至于是否有长期固定服用的药物——同时还不破坏人的工作效率——我就不知道了。我更倾向于认为这种效果已经在思想上产生了。我的意思是我认为这里的一些组织者和管理者精通催眠术和心理学,不断地暗示我们这里的生活很安乐,可以达到我们最终的目的(不管是什么),只是我们没有注意到,这一切的确产生了效果。你知道,如果这一切由懂行的人来做,这种方法能有很大的效果。"

"但是我们一定不能顺从,"希拉里激烈地叫道,"我们每一刻都不能认为呆在这里是一件好事。"

"你的丈夫有什么感觉?"

"汤姆?我——哦,我不知道。很难说。我——"她又陷入沉默不语。

她现在过的这种荒诞的生活是无法同这个正在听她倾诉的人交流的。十天里,她和一个陌生的男人居住在一间公寓里。他们住在一间卧室里,晚上当她醒着躺在床上的时候,她能听到另外一张床上传来的呼吸声。他们两个人都安然地接受了这种安排,认为这是必然的。她是一个冒名顶替者,一个间谍,准备扮演任何角色,假装成任何人。她承认自己不了解汤姆·贝特顿。对她而言,要想知道一个才华横溢的年轻人在这种让人消磨意志的环境中生活上几个月会变成的样子,看看他就知道了,多可怕的一个例子。无论如何,他心里是不会平静地接受这种命运的。她认为,他不但没有从工作中获得快乐,而且对自己没有能力全神贯注于工作越来越担忧。他偶尔会重复第一天晚上说的话。

"我不能思考。仿佛我身上所有的东西都干枯了。"

是的,她这么认为。汤姆·贝特顿是一个真正的天才,比大多数人需要自由。用暗示的手段让他顺从并不能抵偿他失去自由的损失。只有在极其自由的情况下,他才能做出开创性的工作。

她想,他是一个即将精神崩溃的人。他用难以理解的冷漠对待希拉里本人。对他而言,她不是一个女人,甚至不是一个朋友。她甚至怀疑他是否意识到妻子的死,并感到痛苦。不断困扰他的事情是囚禁的问题。他一遍又一遍地说:

"我必须离开这里。必须,必须。"有时候还说,"我不知道。我不知道会发生什么事情。我将如何从这里逃出去?如何?我必须出去。一定得出去。"

这同彼得斯曾经说过的话实质上一样。但是这个话说得完全不同。彼得斯是作为一个年轻、有活力、愤怒、觉醒的人说的这个话,他对自己有把握,坚决地用自己的智慧对抗他正身处的这个机构的控制。但是汤姆·贝特顿这种反抗的声音是从一个处于精神崩溃边缘的、几乎疯狂的妄图逃跑的人嘴中发出来的。希拉里突然想,也许她和彼得斯在这里生活上六个月也会是这个样子。也许一个天才最初充满正常的反抗和理智的自信,可到最后却变成一只被夹住的老鼠那样的疯狂绝望。

她希望她能把所有这些事告诉身边的这个男人。如果她可以说:"汤姆·贝特顿不是我的丈夫。我对他毫无了解。我不知道他来这里之前是什么样子,我也是身处黑暗之中。我不能帮他,因为我不知道怎么做或者怎么说。"尽管如此,她还要谨慎地把握自己要说的话。她说:

"汤姆现在看起来像个陌生人。他不——不告诉我事情。有时候我想,这种监禁,这种被关起来的感觉把他逼疯了。"

"有可能,"彼得斯冷漠地说,"可能是那样。"

"但是告诉我——你这么自信能逃出去,我们如何逃出去——到底有什么机会?"

"我的意思不是说我们后天就能出去,奥利芙。要想一想办法,好好计划一下。你知道,有人在最没有希望的情况下逃跑了。我们美国很多人,还有大西洋你们那边的很多人,写了很多书,描写他们是怎样从德国逃出的。"

"那是很不同的。"

"本质上是一样的。有入口,就有出口。当然,挖地道是不可能的,所以要想一些好办法。但是我还是要说,有入口,就会有出口。凭借着智慧、伪装、演戏、欺骗、贿赂等手段,是可以设法逃出去的。这是你应该学习和思考的事情。我要告诉你。我一定能逃出去。相信我的话。”

“我相信你会的,”希拉里说道,然后她又补充道,“但是我呢?”

“哦,对你就不同了。”

他的声音听起来很尴尬。她想了想他这是什么意思。然后,她意识到他可能推测她大概已经实现了自己的目标。她已经和自己的爱人相聚了,因此她自己想要逃走的需要不是那么重要了。她几乎想要告诉彼得斯事实真相——但是被某种谨慎的本能阻止了。

她道了一声晚安,离开了屋顶花园。

第十六章

I

"晚上好,贝特顿夫人。"

"晚上好,詹尼森小姐。"

这位瘦瘦的戴眼镜女孩儿兴奋地看着她。她的眼睛在厚厚的镜片后面闪烁着。

"今天晚上有个联欢会,"她说,"院长要亲自讲话!"

她说话时几乎是压着嗓音的。

"那很好,"站在旁边的安迪·彼得斯说,"我早就等待着看一看这个院长了。"

詹尼森小姐向他投以震惊和斥责的目光。

"院长,"她很严肃地说,"是一位非常出色的人。"

当她沿着一条白色走廊从他们身边走开时,安迪·彼得斯小声地吹了一声口哨。

"我刚才是不是听到了'希特勒万岁'口号的回声了?"

"听起来当然有点像。"

"人生的不幸在于你永远不能真正地知道你要去哪里。如果当我离开美国的时候就知道,自己带着孩子般的热切期盼追寻那种美好的手足情谊之地,实际上是把自己送入另外一个从天而降的独裁者手中了——"他把双手一甩。

"你现在仍然不知道嘛!"希拉里提醒他说。

"我能在空气里闻到那种气味。"彼得斯说。

"哦,"希拉里叫道,"你能在这里,真是太高兴了!"当他困惑地看着她时,她的脸一下子变红了。

"你是如此了不起而又很平凡,"希拉里情不自禁地说道。

彼得斯看上去很高兴。

"在我们国家,"他说,"'平凡'这个词不是你表达的意思。它可以表示简单、庸俗的意思。"

"你知道我不是那个意思。我的意思是你就像其他人一样。哦,天哪,这听起来也很鲁莽。"

"平常人,那就是你要寻找的吧? 你已经受够了天才?"

"是的,你也变了,自从你来到这里之后。你已经没有了那种刻薄的性情——仇恨的性情。"

但是他的脸色立即变得很严峻。

"不要那样认为,"他说,"仍然有——藏在心中。我还在仇恨。相信我,总有应该仇恨的事情。"

II

詹尼森小姐所说的联欢会在晚饭之后举行。机构里的所有成员聚集在很大的演说厅里。

听众不包括那些被称作技术人员的人:实验室的助手、芭蕾舞演员、从事不同服务工作的人员,还有那一小部分长相漂亮、为那些没有带妻子而又没有和女同事同居的男人们提供性服务的妓女们。

希拉里坐在贝特顿身边,非常好奇地等待着那个神秘的院长出现在讲台上。她询问汤姆·贝特顿,但是他对这个控制整个机构的人物的回答无法令人满意,几乎是含糊不清的。

"他没有什么可看的,"他说,"但是他具有很大的影响力。实际上我只见过他两次。他不经常抛头露面。当然了,总感觉他气质非凡,但是说实话,我不知道为什么有这样感觉。"

詹尼森小姐和几个其他女性充满敬意地谈论着他,希拉里脑子里隐约出现了一位个子高大、留着金色胡须、身穿白色长袍的人物——一种像上帝的抽象人物。

当观众们站起身,一位皮肤黝黑、体格强壮的中年人安静地走到讲台上时,她几乎吃了一惊。从相貌上,他看起来很平常,他可能是来自欧洲内陆的一位生意人。他的国籍还不清楚。他交替使用三种语言讲话,从不重复。他讲法语、德语和英语,每种语言说得都一样流利。

"首先,"他开始说道,"让我对新加入我们的同事们表示欢迎。"

然后他又简单地赞颂了每一位新到的人。

随后,他谈了这个机构的宗旨和信仰。

后来,希拉里回忆他的讲话时,发现自己无法很准确地追忆。也许这些话都是些陈词滥调。但是在听他讲的时候感觉却不同。

希拉里记得,有一位战前住在德国的朋友曾经说过一件事情。一次她只是出于好奇地参加了一个集会,听了那个荒唐的希特勒讲话——她边听边歇斯底里地叫喊,头脑被强烈的情绪控制着。她叙述说,每句话听上去都很有哲理和鼓舞人心,但是事后回忆,这些话实际上就是些陈词滥调。

现在同样的事情正在发生。希拉里情不自禁地被鼓动和振奋起来。院长的讲话非常简单。他主要谈论了青年。青年是人类的未来。

"累积财富、声誉以及名门世家——这些都是过眼云烟。但是今天,力量掌握在年青人手中。力量来自头脑。化学家、物理学家、医生的头脑……具有巨大摧毁力的力量来自实验室。拥有了那种力量,你可以说'屈服——或者灭亡!'这种力量不应该给与这个或者那个国家。这种力量应该控制在创造者的手中。这个机构就是全世界力量的聚集地。你们来自世界的不同地方,带来你们创造性的科学知识。而且,你们带来了自己的青春!这里的每个人都不超过四十五岁。当时机成熟时,我们将创造一个托拉斯。科学智慧的托拉斯。我们将管理世界事务。我们将对资本家、国王、军队以及各个行业发布我们的命令。我们将给世界带来科学统治下的和平。"

不仅如此,他还讲了其它的话——仍是一套令人振奋的语言,并不是这些话本身,而是演说者的力量蛊惑了这群本来冷漠、有判断力的听众。他们受到了这种莫名其妙和无法形容的感情的支配。

院长结束演讲时突然高呼:

"勇气和胜利!晚安!"希拉里感觉整个大厅在一种情绪高昂的梦中半醉半醒,她意识到自己周围每个人的脸上都有这种表情。她尤其看到埃里克松,他苍白的眼睛闪烁着,他的脑袋狂喜地向后仰着。

然后,她感觉安迪·彼得斯的手放在她的胳膊上。他的声音在她耳边响起:

"去屋顶花园。我们需要透透气。"

他们二话没说坐着电梯来到屋顶。天空中布满星辰,他们走进了棕榈树林。彼得斯深吸了一口气。

"是的,"他说,"这是我们需要的。让空气把荣誉的彩云吹走吧。"

希拉里长叹了一声。她仍然感到虚幻。

他友善地摇了摇她的胳膊。

"摆脱出来!奥利芙。"

"荣誉的彩云,"希拉里说,"你知道——感觉就像那样!"

"摆脱出来,我说。做个女人! 回到现实中来! 当荣誉的毒气消散了,你会意识到你听到的是和以前一样的陈词滥调。"

"但是它很美好——我的意思是这是个美好的理想。"

"狗屁理想。回到现实吧。青春和智慧——荣誉、荣誉,哈里路亚! 什么是青春和智慧? 黑尔佳·尼德海姆,一个无情的自我主义者。托尔奎尔·埃里克松,一个不切实际的梦想家。巴龙博士,一个为了获得工作设备把自己的祖母卖给屠宰场的人。再看看我,正如你自己说的那样,一个平常人,擅长试管和显微镜实验,但是并不具备管理一个办公室的能力,更别提管理世界! 看看你的丈夫——是的,我要说一说——一个神经紧张、一无是处,整日除了担心会受到因果报应,什么都不想的人。我说的都是我们最了解的人们——但是他们在这里都一样——至少我遇到的人都如此。天分,他们中有的人在做自己的工作时他妈的很不错——但是成为世界的主宰者——该死,不要让我耻笑了! 极其无聊,这就是我们听到的演讲。"

希拉里坐在水泥栏杆上。她用一只手摸了摸额头。

"你知道,"她说,"我相信你是对的……但是荣誉的彩云仍然在蔓延。他怎么做到的呢? 他自己相信吗? 他一定相信。"

彼得斯沮丧地说:

"我想最终会是一个样。他是一个相信自己是上帝的疯子。"

希拉里慢慢说道：

"我想是这样。然而——那看起来难以理解,无法让人满意。"

"但是这样的事情发生了,我的天哪。在历史上,它一遍又一遍地发生了。它蛊惑人心。今晚差点蛊惑了我。一定把你蛊惑了。如果我没有把你带到这里——"他的举动突然变了。"我想我不该这么做。贝特顿会怎么说? 他会认为奇怪。"

"我不这样认为。我怀疑他是否注意到了。"

他疑惑地看着她。

"对不起,奥利芙。对你而言,这一定是个美妙的地狱。看着他没落下去,一定使你很痛苦。"

希拉里很热切地说：

"我们必须离开这里。必须。必须离开。"

"我们会的。"

"你以前说过——但是我们毫无进展。"

"哦,是的,我们说过。我没有闲着。"

她惊讶地看着他。

"没有具体的计划,但是我已经发动了策反活动。这里有很多不满,远非我们这位上帝一样的院长先生所能了解。我指的是这里身份卑微的成员中。食物、金钱、奢华和美人不能解决一切,你知道。我仍然要带你出去,奥利芙。"

"汤姆呢?"

彼得斯的脸色沉了下来。

"听着,奥利芙,相信我说的话。汤姆最好留在这里。他"——他犹豫了一下——"在这里比在外面的世界更安全。"

"更安全? 真奇怪的措词。"

"更安全,"彼得斯说,"这是我有意选用的措词。"

希拉里皱起了眉头。

"我真的不明白你的意思。汤姆没有——你认为他还没有变得精神错乱?"

"至少现在没有。他容易发怒,但是我要说汤姆·贝特顿的精神和你我一样健康。"

"那你为什么说他在这里更加安全?"

彼得斯缓慢地说:

"你知道,牢笼是一个非常安全的地方。"

"哦,不,"希拉里叫道,"不要告诉我你也要相信那样的话。不要告诉我那种催眠术、暗示或者不管什么正对你起作用了。安全、驯服、满足! 我们仍旧必须反抗! 我们想得到自由!"

彼得斯缓慢地说:

"是的,我知道。但是——"

"不论如何,汤姆拼命地想离开这里。"

"汤姆可能不知道什么对他最有利。"

突然间,希拉里想起了汤姆对她的暗示。她猜想,如果他出卖了机密信息,他很可能因违反《官方机密法》而受到指控——毫无疑问，那正是彼得斯用一种相当尴尬的方式所要暗示的——但是希拉里自己的头脑很清楚。服劳役比呆在这里要好多了。她很坚定地说：

"汤姆也一定会离开。"

她感到很惊讶，因为彼得斯突然用一种讽刺的口气说：

"你自己看着办吧。我已经警告过你。我真希望知道到底是什么该死的原因让你这么关心那个家伙。"

她惊慌地盯着他。想说的话已经到了嘴边，但是她又止住了。她意识到她想要说的话是："我不关心他。他和我毫无关系。他是另外一个女人的丈夫，我只是帮她履行一个责任。"她想要说："蠢货，如果我有关心的人，那就是你……"

Ⅲ

"你和那个被驯化的美国人很愉快吗？"

当她走进卧室时，汤姆·贝特顿朝她扔出这句话。他正躺在床上抽烟。

希拉里有一点脸红。

"我们是一起来这里的，"她说，"我们看起来对某些事情的想法是一致的。"

他笑了。

"哦！我没有责怪你。"这是第一次他用一种新的、评价的眼光看她,"你是个很漂亮的女人,奥利芙,"他说。

从一开始,希拉里就要求他一直用他妻子的名字称呼她。

"是的,"他继续说,眼睛上下打量着她。"你是个十分漂亮的女人。我曾经注意到了这一点。事实上,我对这类事好像没有什么意识了。"

"也许这样更好些。"希拉里冷漠地说。

"我绝对是个完全正常的人,我的天哪,或者说我过去是。天知道我现在是什么样的。"

希拉里坐在他的旁边。

"发生什么事情了,汤姆?"她说。

"我告诉你。我不能集中精力。作为一个科学家,我已经支离破碎了。这个地方——"

"其他人——或者大多数人——好像没有你那样的感觉?"

"我想,因为他们是一群感觉迟钝的人。"

"他们中有的人情绪易于激动,"希拉里冷漠地说,"只要你在这里有一位朋友——一位真正的朋友。"

"哦,那就是默奇森。尽管他是个迟钝的家伙。最近我常常和托尔奎尔·埃里克松在一起。"

"真的?"希拉里不由感到惊奇。

"是的。我的上帝,他很出色。我希望我有他那样的智慧。"

"他是一个奇怪的人,"希拉里说,"我一直觉得他相当可怕。"

"可怕?托尔奎尔?他非常温顺,就像一个孩子,不懂世故。"

"哦,我感觉他很可怕。"希拉里坚定地重复道。

"你的神经一定也很紧张了。"

"现在还没有。虽然我怀疑以后会的。汤姆,不要和托尔奎尔·埃里克松走得太近。"

他盯着她。

"为什么?"

"我不知道。我就是有这种感觉。"

第十七章

I

勒布朗耸了耸肩膀。

"很确定,他们离开了非洲。"

"还不能确定。"

"很有可能是那样。"法国人摇了摇头,"毕竟,我们的确不知道他们要去哪里?"

"如果他们要前往我们认为的地方,为什么从非洲起程? 从欧洲的任何地方起程都会更方便。"

"不错。但是从另一方面考虑。没有人会料到他们会从那里会合,然后出发。"

"我仍然认为事情并不是这么简单。"杰索普委婉地坚持自己的主张,"除此之外,那个机场只能起降小飞机。在飞越地中海之前,飞机不得不降落加油。他们加油的地方,一定会留下一些痕迹。"

"亲爱的朋友,我们已经进行了最彻底的调查——每个地方已经被——"

"携带盖氏计数器的人一定会得到结果。需要检查的飞机数量是有限的。只需要一丝放射性活动的痕迹，我们就能知道我们要找的飞机是——"

"如果你的卧底能够使用喷雾。唉！总是有那么多'如果'……"

"我们会找到的，"杰索普坚定地说，"我想知道——"

"什么？"

"我们曾推断他们向北方飞去——朝着地中海。假设相反，他们向南飞。"

"沿着他们的旅程向回飞？但是他们能飞到哪里？那边是非洲阿特拉斯山脉——再南边是一片沙漠。"

II

"老爷，你向我发誓事情将会像你许诺的那样吗？在美国芝加哥给我一家加油站？确定吗？"

"穆罕默德，如果我们从这里出去，我确定是的。"

"成功与否取决于真主的意愿。"

"那么，让我们希望，你应该在芝加哥拥有一家加油站是真主的意愿。为什么是在芝加哥？"

"老爷，我妻子的兄弟去了美国，他在芝加哥那里有一个加油泵。难道我想终日呆在世界的一个落后的地区吗？这里有金钱、各种美味、到处是豪华地毯，还有女人

——但并不现代。这不是美国。"

彼得斯若有所思地打量着这个威严的黑色面庞。穿着白色长袍的穆罕默德看起来很庄严。人的心中怀着多么奇怪的欲望。

"我不知道你是否明智,"他叹了口气说,"但就这么定了。当然,如果我们被发现——"

这张黝黑的脸庞上绽开了笑容,露出了美丽洁白的牙齿。

"那么就是死亡——对我来说是肯定的。也许你不会,因为你有价值。"

"他们在这儿杀人相当容易,不是吗?"

另外一个人轻蔑地耸了耸肩膀。

"死亡?那也是真主的意愿!"

"你知道你要怎么干吗?"

"我知道,老爷。我要在天黑后带你去屋顶。我把我们仆人穿的衣服留一套在你的房间里。然后——会有其它事情发生。"

"好的。你最好让我现在离开电梯。有人可能注意到我们一个劲儿地乘坐电梯上上下下。这可能引起他们怀疑。"

Ⅲ

舞会正在进行。安迪·彼得斯正在和詹尼森小姐跳舞。他把她拉得很近,看上去在她耳边窃窃私语。当他们缓慢地转到希拉里站的地方时,他注意到她的眼神,马上使了一个眼色。

希拉里咬着嘴唇,忍住微笑,很快移开自己的目光。

她的眼睛落到贝特顿身上,他正站在房间对面同托尔奎尔·埃里克松说话。希拉里微微皱着眉头,看着他们。

"奥利芙,一起跳舞好吗?"默奇森站在她旁边说。

"好的,当然可以,西蒙。"

"你可要小心,我不怎么会跳舞,"他提醒她。

希拉里小心留意着不让自己的脚被他踩到。

"这只是一项运动,我只能这么说,"默奇森有点气喘地说。他是个很积极的舞伴。

"奥利芙,你这件外衣十分漂亮。"

他说的话听起来都是过时的小说中的措词。

"我很高兴你能喜欢。"希拉里说。

"从服装部选的吗?"

本想回一句"还能从什么别的地方吗?"但是她还是忍住了。希拉里只是说,"是的。"

"你一定会这么说,你知道,"默奇森一边喘着气说,一边百折不挠地在舞池里跳着,"这里的生活让你感到愉快。有一天我也这么对比安卡这么说。优越的福利制度,不用担心金钱、所得税——或者修理或维护的开销。你的一切后顾之忧都解决了。可以说,对于一个女人而言,真是很美好。"

"比安卡也这样认为,是吗?"

"哦,她曾有点不适应,但是现在她设法成立了一个委员会,组织了一两项活动——你知道,辩论和演讲之类的活动。她一直抱怨你没有加入,担当可以承担的角色。"

"我恐怕自己不是那样的人,西蒙。我根本没有参与公共活动的热情。"

"是的,但是女孩儿们总要找些事情做,让自己快乐一点。我的意思不仅仅是指快乐——"

"充实?"希拉里提议道。

"是的——我的意思是现代妇女想让自己有事情做。我当然理解像你和比安卡这样的女人来这里是做了很大的牺牲——谢天谢地,你们都不是科学家——哦,不是那些女科学家!她们中的大多数真够受!我跟比安卡说,'给奥利芙时间,她会适应的。'适应这个地方需要一点时间。刚一开始,人会有一种幽闭恐惧的感觉。但是这种感觉会慢慢消失——慢慢消失……"

"你的意思是——人会适应任何环境?"

"哦,有些人比其他人更有这种体会。汤姆看起来就很难适应。老汤姆今晚在哪里? 哦,我看见了,和托尔奎尔在一起。这两个人现在分不开了。"

"我希望他们不是那样。我的意思是,我不认为他们有很多相似的地方。"

"年轻的托尔奎尔看起来对你丈夫很着迷。他老是跟着贝特顿。"

"我注意到了。我感觉奇怪——为什么?"

"哦,他总是发表一些奇怪的理论——我可听不懂他说的——你知道,他的英语不是很好。但是汤姆会仔细听,并且设法弄明白。"

一曲跳完了。安迪·彼得斯走过来,请希拉里跳下一支舞。

"我看到你在备受煎熬啊。"他说,"你的脚被踩坏了吧?"

"哦,我刚才很敏捷。"

"你注意到我大显身手了吧?"

"和詹尼森小姐?"

"是的。我想我可以毫不谦虚地说,在这方面我显然成功了。这些普通、执拗和近视眼的女孩儿只要有人邀请就会立即回应。"

"显然你给她一种已经爱上她的印象。"

"正是如此。奥利芙,那个女孩儿只要被适当地控制就会非常有用处。她知道这里的一切日程安排。比如,明天一个贵宾参观团要来这里。有很多医生、政府官员和一两个富有的客户。"

"安迪——你认为这可能是个机会……"

"不,我不认为。我打赌他们会采取措施的。所以,不要对不切实际的希望抱有幻想。但是这次访问对我们很有价值,因为我们会对整个过程有个了解。等下一次的时候——哦,可能就能采取行动了。只要我能牢牢控制住詹尼森,我就能从她那里得到各种各样的信息。"

"来参观的人对这里知道多少?"

"关于我们——这个机构,我的意思是———无所知。我的猜测是,他们只是视察这里的设施和医学研究实验室。这里故意被建得像一个迷宫,所以来的人猜不出这里到底有多大。我猜想这里面有各种隔墙,把我们所在的区域隔离起来。"

"听起来难以置信。"

"我知道。人们有一半时间会感觉好像在做梦。这里还有一个感觉不真实的现象,就是从来没有见过任何孩子。谢天谢地,多亏这里没有孩子。你也必须感激你没有孩子。"

他感觉到她的身体突然绷紧。

"对不起——我说错话了!"他把她领出舞池,来到两把椅子前坐下。

"非常抱歉,"他重复道,"我这话伤害了你,是吗?"

"没有关系——不,真的不是你的错。我的确有个孩子——已经死了——就这样。"

"你有个孩子? ——"他惊讶地瞪着眼睛,"我想你嫁给贝特顿才六个月?"

奥利芙脸红了。她马上说:

"是的,没错。但是我——以前结过婚。我和前夫离婚了。"

"哦,我明白了。这是这个地方最糟糕的事情。在人们来这里之前,人们相互不知道别人的生活,因此会说一些错话。有时候因为对你根本不了解而让我感觉不舒服。"

"我也完全不了解你的事情。你的出身如何——老家在哪里——"

"我出身在一个科学气氛很浓重的家庭里。你可以说我是在试管中长大的。周围的人所想、所谈都是科学，但是我不是家里的聪明孩子。天赋落到了别人的头上。"

"是谁呢？"

"一个女孩儿。她棒极了。她可能会成为第二个居里夫人。她本来是可以开辟一片新天地的。"

"她——出什么事情了？"

他马上回答说：

"她被杀了。"

希拉里猜想是战争时候发生的悲剧。她轻柔地说：

"你很在意她吗？"

"胜过在意任何人。"

他突然激动起来。

"该死的——我们现在麻烦够多了。看看我们的挪威朋友。除了他的眼睛外，他看起来就像是木头做的一样。还有他那僵硬的鞠躬动作——就像有人在后面用绳子拉着他一样。"

"那是因为他又高又瘦。"

"也不是很高。就像我这么高——也就是五英尺十一英寸，或者六英尺。"

"身高也是靠不住的。"

"是的，就像护照上描述的一样。就拿埃里克松说吧。身高六英尺、金色头发、蓝色眼睛、长脸、举止僵硬、中等鼻子、普通的嘴巴。即使加上护照上不会写的:说话准确但学究气十足。你还是无法对埃里克森的样子有个初步的印象。你怎么了?"

"没有什么。"

她正在盯着房间另一侧的埃里克松。刚才彼得斯的描述说的好像就是鲍里斯·格雷德尔的相貌!逐字逐句都是她从杰索普口中听到的。那就是为什么她对托尔奎尔·埃里克松总是感到紧张的原因?是否可能——

她突然转头对彼得斯说:

"我在想他是埃里克松吗?他难道不会是其他人吗?"

彼得斯惊讶地看着他。

"其他人?谁?"

"我的意思是——至少我认为我的意思是——他会不会是假扮成埃里克松来这里的?"

彼得斯想了想。

"我想——不会,我想那不切实际。他一定是个科学家……不管怎么说,埃里克松相当著名。"

"但是似乎这里没有人以前见过他——或者说我猜想他可能是埃里克松,但是也可能是别人。"

"你的意思是埃里克松可能过着某种双重生活?我想有可能。但是不是十分可能。"

"不,"希拉里说,"不,当然不可能。"

当然,埃里克松不是鲍里斯·格雷德尔。但是为什么奥利芙·贝特顿这样迫切地警告汤姆当心鲍里斯呢？会不会是因为她知道鲍里斯也来到这个机构了？假如这个去过伦敦自称是鲍里斯·格雷德尔的人根本不是鲍里斯·格雷德尔？假如他真的是托尔奎尔·埃里克松，这同描述的很吻合。自从他来到这个机构之后，他就一直关注着汤姆。她确信，埃里克松是个危险分子——你不知道在他那双浅色的、充满幻想的眼睛后面打的什么主意……

她颤抖了起来。

"奥利芙——怎么了？出什么事情了？"

"没有什么。看，副院长要发言了。"

尼尔森博士举起双手要大家安静。他对着大厅讲台上的麦克风宣布：

"朋友们，同事们。明天请你们呆在安全侧厅里。请上午 11 点集合，到时候将点名。紧急命令只持续二十四小时。我对给你们带来的不便表示遗憾。公告板上已经张贴了通知。"

他笑着走下台。然后音乐又响起来。

"我必须再次追求詹尼森，"彼得森说，"我看见她在一个柱子旁热切地张望着。我只是想打听一下这些紧急时刻都会有什么事？"

他走开了。希拉里坐着思考。她是一个爱幻想的傻瓜吗？托尔奎尔·埃里克松？鲍里斯·格雷德尔？

IV

点名是在一个大型演讲厅里进行。每个人都在场，听到自己名字答到。然后他们被排成一条长队，一起带走。

和往常一样，穿过迷宫一样盘绕的走廊。希拉里走在彼得斯旁边，知道他的胳膊里面藏着一个微型指南针。看来，他在偷偷地估算他们行走的方向。

"这个玩艺儿用不上，"他沮丧地低声说道，"不管怎样，现在没有用。但是可能有时候会有用处。"

走廊的尽头是一扇门，当开门时，队伍停了一下。

彼得斯拿出了香烟盒——但是立即传来范·海德姆专横的声音。

"请不要吸烟。早就告诉过你了。"

"对不起，先生。"

彼得斯停下了拿烟的动作。然后他们继续向前走。

"就像绵羊。"希拉里厌烦地说。

"振奋一点，"彼得斯小声说，"咩、咩，羊群中的黑色绵羊，想拥有魔力。"

她高兴地扫了他一眼，笑起来。

"女士的休息室在右边。"詹尼森小姐说。

她领着女士们向指定的方向走去。

男人们向左边走去。

休息室是一个看似医院病房的大房间。床铺靠着墙,墙壁上挂着塑料帘子,可以用来保护隐私。每张床旁边都有一个带锁的床头柜。

"你们会看到这里的布置相当简单,"詹尼森小姐说,"但是并不简陋。洗澡间在右侧。集体活动室在出了门尽头的位置。"

他们再次全部聚在这间活动室里,这里只有简单的布置,就像机场的候机大厅一样——一侧有一个吧台和快餐部,另外一侧是一排书架。

这一天过得很愉快。在一个便携式的小屏幕上播放了两场电影。

照明设备把房间照得像白天一样,使人感不到房间没有窗户这个事实。到了天黑的时候,又换了柔和的灯光。

"真高明,"彼得斯赞赏地说道,"这一切都有助于减少人们被囚禁的感觉。"

希拉里想,他们如此无助。就在离这里很近的地方,有一群从外面世界来的人。没有办法和他们交流,没有办法请求他们的帮助。像往常一样,每件事情都被高效和周密地安排好了。

彼得斯和詹尼森小姐坐在一起。希拉里向默奇森建议他们应该打桥牌。汤姆·贝特顿拒绝了。他说他不能集中精力,但是巴龙博士补了缺。

真是奇怪,希拉里发觉这个游戏玩得很开心。当她和巴龙博士一伙儿迎来第三个决胜局的时候,已经是十一点半了。

"我玩得很开心。"她边说边扫了一眼手表,"时间不早了。我猜想贵宾们已经走了——他们晚上也在这里吗?"

"我真的不知道,"西蒙·默奇森说,"我想一两个热衷于这里的医生会过夜。不管怎么说,他们明天中午都会走的。"

"到那个时候我们才能恢复正常生活?"

"是的。大概那个时候。这种事情打乱了我们的正常生活。"

"但是一切都安排得很好。"比安卡赞许地说道。

她和希拉里站起来,向两位男士道了晚安。希拉里向后站了站,让比安卡先于她向灯光昏暗的卧室走去。正当她也要离开时,有人轻轻碰了她的胳膊一下。

她迅速转过头,发现一位个子高高、脸色黝黑的佣人站在她旁边。

他小声用法语急切地说:

"夫人,请过来。"

"过去?去哪里?"

"如果您愿意,请跟我来。"

她犹豫不决地站了一会儿。

比安卡已经走进了卧室。还有几个人留在活动室里聊天。

她再次感觉到胳膊被轻轻地碰了一下。

"请随我来,夫人。"

他走了几步,站住了,回头看看,向她招手。希拉里有点怀疑地跟着他。

她注意到这个特别男人的穿着比大多数本地佣人阔气很多。他的袍子上有许多金线绣的图案。

他领着希拉里穿过活动室角落的一扇小门,然后又顺着这些必经的白色走廊往前走。她认为这并不是进入安全侧厅时走的那条路,但是这也很难确定,因为所有通道都是类似的。她曾试图问一个问题,但是这位带路的不耐烦地摇了摇头,匆匆赶路。

最后他在一个走廊的尽头停下来,按了一下墙上的按钮。一块板条向后滑动,露出一个小电梯。他示意她进去,然后跟着她,电梯升了上去。

希拉里尖声叫道:"你要带我去哪里?"

那个人用他那双带着责备眼光的黑眼睛看着她,严厉地说:

"带你去见主人,夫人。这是你莫大的荣幸。"

"你的意思是,去见院长?"

"去见主人……"

电梯停下来。他推开电梯门,招手示意她出去。然后他们沿着另外一条走廊行走,来到一扇门前。她的向导敲了敲门,门从里面被打开。里面还是一个身穿金线绣制白袍、脸色黝黑、表情冷漠的佣人。

这个人带着希拉里穿过铺着红色地毯的小客厅,拉开帘子让希拉里进去。她出人意料地发现自己置身于一

间东方风情的房间里。屋里摆着低矮的长沙发、咖啡桌，
墙上挂着一两条漂亮的挂毯。沙发椅里坐着一个人，她
目瞪口呆地盯着他。这个人身材矮小、皮肤发黄、满脸皱
纹、老态龙钟。此人正是阿里斯蒂德先生。他笑眯眯地
看着愣住的希拉里。

第十八章

"请坐,亲爱的夫人①。"阿里斯蒂德先生说。

他挥了挥像爪子一样的小手,希拉里像做梦一样走过去,坐在他对面另外一张沙发椅上。他发出轻轻的咯咯笑声。

"你很惊讶,"他说,"你没有意料到吧,嗯?"

"是的,确实没有。"希拉里说,"我从没有想过——没有想到过——"

但是她已经稍稍平静下来。

从她认出阿里斯蒂德先生的这一刻,过去几个月她一直生活的那个不真实的梦幻世界瞬时破裂和粉碎了。她现在知道这个机构对她而言都是不真实的——因为这一切都是做出来骗人的。雄辩的院长先生也不是真实的——他只是一个用来隐藏事实的一个虚构的傀儡。事实的真相就藏在这个神秘的东方风情的房间里。一个小个儿老头坐在里面,安静地微笑着。阿里斯蒂德先生是这里一切事物的中心,因此,每件事都有了意义——都成了冷酷的、实际的、平凡的现实。

----

① 原文为法语。

"我现在明白了,"希拉里说,"这里——这里一切都是你的,是吗?"

"是的,夫人。"

"那院长呢? 那个所谓院长呢?"

"他非常出色,"阿里斯蒂德先生赞赏地说,"我给他很高的薪水。他曾是主持福音传教士会议的。"

他若有所思地抽了一会儿烟。希拉里没有说话。

"你旁边有土耳其软糖,夫人。还有其它你可能喜欢吃的甜食。"随后又是一阵寂静。然后他继续说:"我是一个慈善家,夫人。你知道,我很富有。最富有的人之一——可能是当今世界上最富有的人。我的财富是我感到有责任服务于人类。我在这个遥远的地方建立起这个机构,修建了一个麻风病院,还有一大群研究麻风病治疗方法的研究人员。有几种类型的麻风病可以治愈。但是其它类型迄今为止被证明无法治愈。但是我们的工作已经取得了良好的成果。麻风病真的不是很容易传染的疾病。它的传染性或感染性还不到水痘或者斑疹伤寒或者瘟疫这类疾病的一半。然而,如果你对人们说,'这是个麻风病人聚居区',他们会吓得发抖,敬而远之。这种恐惧是传统的、古老的。你在《圣经》上就能找到类似的描述,千百年来一直流传至今。对麻风病人的恐惧促使我建立了这个医院。"

"你就是为这个原因建设了这个地方?"

"是的。我们这里还有一个癌症研究部,正在进行肺结核病的重要研究。还研究病菌和生物战。大家都知道,我们研究它完全是为了对付它,所以保密。我们从事一切人道的、能被所有人类所接受的科研工作,这都有助于增添我的荣誉。著名的物理学家、外科医生、化学家不时地来参观我们的成果,就像今天来参观的人一样。这幢建筑使用了一种很巧妙的设计,它的一个部分被隔离,从外面看不出来。更多隐秘的实验室被建设在右边岩石隧道里。不管怎样,我丝毫不受人怀疑。"他微笑着,简单补充了一句,"你知道,我很富有。"

"但是为什么?"希拉里问道,"为什么这么迫切地要搞破坏?"

"夫人,我没有迫切地去破坏。你错怪我了。"

"但这么说——我还是不明白。"

"我是个商人,"阿里斯蒂德先生简单说道,"我也是个收藏家。当财富多得让人感觉沉重时,这就是唯一可以做的事情。我一生中收藏了很多东西。绘画——我有欧洲最精美的艺术收藏品、很多种类的陶瓷。集邮——我的邮票收藏品很有名。当某种东西收藏够了,我就会收藏下一样东西。夫人,我是一个老人了,也没有什么值得我收藏的东西了。所以最后我收集人才。"

"人才?"希拉里询问道。

他轻轻地点了点头。

"是的,这是最有意思的收藏活动。夫人,我一点一点地把世界上所有人才聚集到这里。这些年轻人,都是被我带到这里的。有希望的年轻人,有成就的年轻人。总有一天,世界上那些疲惫不堪的国家将会苏醒,意识到他们的科学家正在衰老和陈腐,而世界上年轻的人才,医生、化学家、物理学家、外科医生全都在我的掌握中。如果他们需要一位科学家、一位整形外科医生或者一位生物学家,他们不得不从我这里购买!"

"你的意思是……"希拉里向前探了探身子,盯着他说,"你的意思是这是一个巨大的金钱交易。"

阿里斯蒂德先生再次轻轻地点了点头。

"是的,"他说,"那当然了。否则——这一切就毫无意义了,不是吗?"

希拉里深深地叹了一口气。

"是的,"她说,"那正是我的感觉。"

"毕竟,你知道。"阿里斯蒂德先生几乎带着歉意地说,"这是我的职业。我是一位金融家。"

"你的意思是这里面根本不含有任何政治因素? 你不想掌握世界的力量——"

他摆手拒绝。

"我不想成为上帝,"他说,"我是一个教徒。想要成为上帝是独裁者们的职业病。迄今为止,我还没有感染上那种疾病。"他想了想,然后说,"可能会被传染。是的,可能会……但是至今,幸运的是——没有。"

"但是你是如何把这些人带到这里的?"

"夫人,我购买了他们。在开放的市场上,就像任何其它商品一样。有的时候,我用金钱购买他们。更多的时候,我用思想购买他们。年轻人都是梦想家。他们拥有理想。他们拥有信念。有的时候我用安全购买他们

——那些违反了法律的人们。"

"这解释了那个问题,"希拉里说,"我的意思是这解释了来这里的旅途中让我迷惑的问题。"

"啊!让你在旅途中感到疑惑的问题,是吗?"

"是的。每个人的目标都不同。安迪·彼得斯,美国人,看起来绝对是个左翼人士。但是埃里克松是个相信超人的狂热信徒。黑尔佳·尼德海姆是个最狂妄和异端的法西斯分子。巴龙博士——"她犹豫不决。

"是的,他来这里是为了钱,"阿里斯蒂德先生说,"巴龙博士有教养,但是愤世嫉俗。他没有幻想,但是他对工作天生热爱。他想得到无尽的金钱,从而进一步从事自己的研究工作。"他继续说,"夫人,你是个聪明人。在非斯的时候我就看出来了。"

他发出轻轻的咯咯笑声。

"夫人,你并不知道,但是我前往非斯只是想观察你——更准确地说,我让人把你带到非斯,就是为了让我能观察你。"

"我明白了。"希拉里说。

她注意到这句话有东方式的措辞。

"我很高兴你会来这里。理由是,如果你能理解我,我在这个地方找不到能够谈话的聪明人。"他做了一个手势,"这些科学家、生物学家、化学家,他们很无趣。他们拥有从事自己研究的天分,但是和他们谈话却毫无意思。"

"他们的妻子,"他思索着继续说,"通常也很无聊。

我们这里不鼓励妻子陪同。只有一种情况下我才会允许妻子们来这里。"

"什么情况?"

阿里斯蒂德先生冷漠地说:

"这种情况很少发生,当丈夫因为思念自己的妻子而无法正确地从事自己的工作时。看起来你的丈夫托马斯·贝特顿也遇到了这种情况。托马斯·贝特顿是世界上公认的天才,但是自从他来这里之后,只是做了一些平庸和二流的工作。是的,贝特顿让我很失望。"

"但是你没有发现这样的事情经常发生吗?毕竟,这些人被监禁在这里。他们当然要反抗?不论如何,至少在开始的阶段?"

"是的,"阿里斯蒂德先生表示同意,"那是很自然和不可避免的。当你把一只鸟关进笼子里时,是这种情况。但是如果一只鸟在一个足够大的鸟笼里;如果它拥有所需要的一切:一个伴侣、种子、水、嫩枝,所需的一切物质生活,它就最终忘记曾经自由过。"

希拉里有点战栗。

"你让我感到害怕,"她说,"你真的让我感到害怕。"

"夫人,你会逐渐理解这里的很多事情。我向你保证,尽管这些人带着不同的意识形态来到这里,感到失望和难以控制,但是他们最终都会变得听话。"

"你无法做那样的保证。"希拉里说。

"在这个世界上,人不能对任何事情做保证。我同意你的观点。但是我却有百分之九十五的把握。"

希拉里有点恐惧地看着他。

"很可怕，"她说，"就像一个打字员联合组织一样！你在这里聚集了一个人才联合组织。"

"说得没错，你的看法很正确，夫人。"

"你打算有一天，把这里面的科学家卖给出价最高的人吗？"

"夫人，大体就是这个原则。"

"但是你不能像提供打字员那样提供科学家。"

"为什么不行？"

"因为一旦你的科学家回到自由的世界，他能拒绝为他的新雇主工作。他又变成自由身了。"

"的确没错。可能必须采取某种——控制，我们能这样说吧？"

"控制——你这样说是什么意思？"

"夫人，你听说过脑白质切除术吗？"希拉里皱起了眉头。

"那是一种脑部手术，对吗？"

"是的。这种手术最初是为了治疗精神抑郁症。我不用医学术语进行解释，夫人，用你和我都能理解的话解释一下。在手术过后，病人不再有自杀的念头，也不再有愧疚的感觉。他变得无忧无虑、不知廉耻，大多数情况下都很顺从。"

"手术的成功率还达不到百分之百，是吧？"

"过去达不到。但是我们在这个课题上取得了巨大的进展。我这里有三位外科医生：一个俄国人、一个法国人和一个澳大利亚人。通过各种移植手术和大脑的精密手术,他们逐渐地达到了可以保证手术后的人可以被驾御,人的意愿可以在不影响智力的情况下被控制。看起来我们有可能最终在不损伤一个人智力的情况下这样调教他,他将表现出十分的顺从。他会接受任何建议。"

"但是这太可怕了,"希拉里叫道,"太可怕了!"

他平静地告诫她:

"这很有用,甚至某种程度上是一种善行。因为病人将会变得高兴、满意,不再有恐惧或者渴望,或者不安的情绪。"

"我不相信这种事情会发生。"希拉里轻蔑地说。

"亲爱的夫人,请原谅我说你几乎没有资格谈这个课题。"

"我的意思是,"希拉里说,"我不相信一个心满意足、没有主见的动物将会做出真正有创造性的智力成果。"

阿里斯蒂德耸了耸肩膀。

"也许是的。你很聪明。你说的可能有一番道理。但是时间将会证明。实验一直在进行着。"

"实验! 你的意思是拿人做实验?"

"当然是的。那是唯一能够实践的方法。"

"但是——被实验者是什么人呢?"

"一直是用不称职的人,"阿里斯蒂德说,"那些不能适应这里生活的人,不进行合作的人。他们是很好的实验材料。"

希拉里死死地抓住沙发椅的坐垫。面对这个想法野蛮、一脸微笑的小老头儿,她感到极度恐惧。他说的每件事情都如此有理、如此有逻辑性、如此煞有介事,这些更加深了她的恐惧。这里没有口出狂言的疯子,只有一个把和自己一样的人类看作是实验原材料的人。

"你不相信上帝吗?"她说。

"我当然相信上帝。"阿里斯蒂德先生扬起了眉毛。他好像感到莫大的震惊,"我已经告诉过你了。我是一个教徒。上帝保佑我,给了我无比的力量。给了我金钱和机遇。"

"你读《圣经》吗?"希拉里问道。

"当然了,夫人。"

"你记得摩西和亚伦对法老说的话吗?让我的人民走吧。"

他微笑着。

"那么——我是法老?你是摩西和亚伦当中的一个?夫人,那就是你要对我说的?让这些人走,全部都走,或者你的意思是让某个特别的人走?"

"我要说——让他们全部都走。"希拉里说。

"但是你要明白,亲爱的夫人,"他说,"那只是浪费时间。那么换一个选择,你的丈夫不是你要恳求放走的人吗?"

"他对你没有用处,"希拉里说,"当然现在你一定意识到了那一点。"

"也许你说得很对,夫人。是的,我对托马斯·贝特顿感到非常失望。我希望你的存在可能会让他的才智恢复，因为毫无疑问，他是有才华的。他在美国的声誉毫无疑问地证明了这一点。但是你的到来看起来并不奏效。当然，我这样说不是根据自己的了解，而是根据确切的报告。来自和他一起共事的科学家们的报告。"他耸了耸肩膀，"他做了些勤勤恳恳的普通工作。除此之外再没有别的了。"

"囚鸟不会唱歌，"希拉里说，"也许有的科学家在某种环境下无法获得创新性的思想。你必须承认有这种合理的可能性。"

"有可能是这样。我不否认。"

"那么把托马斯·贝特顿这个名字作为失败者勾掉吧。让他回到外面的世界去。"

"夫人，我不能这样做。我还没有准备将这个地方的事情向全球公布。"

"你可以让他发誓保密。他会发誓不说出一个字。"

"他可以发誓——是的。但是他无法保守秘密。"

"他会的！哦，真的，他会的！"

"妇人之见！不能听妇人之言。当然，"他靠在椅子上，把他那黄色的指头拢在一起，"当然，他可以留下一个人质，那可能会封住他的嘴。"

"你的意思是？"

"我的意思是你，夫人……如果托马斯·贝特顿离开，你作为人质留下来，你认为这个交换如何？你愿意吗？"

希拉里盯着他身后的影子。阿里斯蒂德先生不知道她脑海里浮现出了什么画面。她的思绪又回到了医院里,自己坐在一个将要死去的女人旁边。她想起了聆听杰索普训话,想起了他的指示。现在有一个机会,她留下,而托马斯·贝特顿可以自由离开,难道不是完成她的使命的最好方式吗?因为她知道(阿里斯蒂德先生不知道),实际上并没有留下他想要的那个人质。她个人对托马斯·贝特顿毫无意义。他深爱的妻子已经死了。

她抬起头,看着这个坐在沙发椅上的小老头儿。

"我愿意。"她说。

"夫人,你勇气可嘉,具有忠诚和奉献精神。这些都是好品质。至于下面的事情——"他微笑着说,"我们会在其它时间再谈一谈。"

"哦,不,不要!"希拉里突然双手抱头。她的肩膀颤抖着,"我无法承受!我受不了!这也太野蛮了。"

"夫人,你不必太在意。"这个老头儿用轻柔、几乎安慰的声音说,"今晚我很高兴向你谈了谈我的目标和抱负。看一看一个毫无准备的人听到这些有什么效果,我对此很感兴趣。把这些告诉像你这样心态平和、理智和聪明的人。你感到恐惧了。你感到厌恶了。然而我认为用这种方式让你感到震惊是一个很明智的计划。起初你厌恶这种观点,然后你会考虑、反省,最后对你而言这一切变得正常;尽管它一直是一件很正常的事情。"

"从来不是!"希拉里叫道,"从来不是!从不!从不!"

"啊,"阿里斯蒂德先生说,"俗话说红头发的人情绪激烈、桀骜不驯。我的第二个妻子,"他沉思着补充说,"长着一头红发。她是个美丽的女人,她很爱我。很奇怪,是不是? 我一直仰慕红发女人。你的头发非常漂亮。你身上还有让我喜欢的其它东西。你的热情,你的勇气;事实上你是个有主见的女人。"他叹了口气,"唉! 现在我对女人少有兴趣。我有两个姑娘,有时候让我很高兴,但是现在我更喜欢的是精神上的伴侣。夫人,相信我,你的陪伴给了我巨大的精神鼓舞。"

"假如我把你对我说的话重复给我——丈夫?"

阿里斯蒂德先生宽容地微笑着说。

"啊,是的,假如你这样做? 但是你会吗?"

"我不知道。我——哦,我不知道。"

"啊!"阿里斯蒂德先生说,"你很明智。有些事情女人要藏在心里。但是你厌倦了——失望了。当我每次来这里的时候,我会把你叫过来,我们会讨论很多事情。"

"让我离开这个地方——"希拉里把双手伸向他,"哦,让我离开这里。让我跟着你一起离开。求你了! 求你了!"

他轻轻摇摇头。他的表情很宽容,但是隐藏着一点轻蔑。

"现在你说话就像个小孩儿,"他责怪地说道,"我怎么能让你离开呢? 我怎么能让你把你在这里见到的一切告诉全世界呢?"

"如果我发誓我不会对任何人提起一个字,你不相信吗?"

"我真的不能相信你,"阿里斯蒂德先生说,"如果我相信这种事情,那我真的很愚蠢。"

"我不想呆在这里。我不想呆在这个监狱里。我想出去。"

"但是你还有你的丈夫。你来这里和他团聚,完全出于自愿。"

"但是我不知道我要去什么地方。我不知道。"

"是的。"阿里斯蒂德先生说,"你不知道。但是我向你保证,你来到的这个特别的世界比起铁幕下的生活要愉快许多。这里有你需要的一切!奢侈品、美丽的天气、消遣娱乐……"

他站起来,轻轻地拍了拍她的肩膀。

"你将要定居下来,"他自信地说,"啊,是的,红色头发的囚鸟要定居下来。一年、两年后,你肯定会非常快乐!尽管可能,"他若有所思地补充说道,"不那么有趣。"

第十九章

I

第二天晚上,希拉里突然惊醒。她用肘部支撑起身体,仔细聆听。

"汤姆,你听见了吗?"

"听见了。飞机声——飞得很低。没有什么。不时会有飞机飞过。"

"我感到奇怪——"她没有把话说完。

她躺在床上思考,一遍遍地回想与阿里斯蒂德奇怪的会面。

那个老头儿对她产生了某种反复无常的喜爱。

她能利用一下吗?

她能最终说服他带着她回到外面的世界吗?

下一次他来的时候,如果他找她去,她要引诱他谈一谈死去的红发妻子。靠肉体的诱惑不能迷住他。他现在对肉体的欲望太冷漠了。除此之外,他还有两个"年轻姑娘"。但是这个老头儿喜欢回忆,对谈论过去的时光非常热切……

居住在切尔滕纳姆的乔治叔叔……

希拉里在黑暗中微笑着回忆起乔治叔叔。

乔治叔叔和阿里斯蒂德这个百万富翁在骨子里难道不一样吗？乔治叔叔有一位女管家——"非常和蔼、可靠的女人，我的天哪，不俗艳，不性感，也没有不检点的行为。和蔼、朴素和稳重。"但是乔治叔叔因为娶了这位和蔼朴素的女人让全家人感到失望。她本是一个非常好的听众……

希拉里对汤姆怎么说的？"我要找一个能出去的办法？"奇怪，如果这个办法就是通过阿里斯蒂德。

II

"有信息，"勒布朗说，"终于有信息了。"

他的通讯员刚刚走进来，敬礼后把一张折叠的纸放在他面前。他把这张纸打开，然后兴奋地说：

"这是我们一位侦察机飞行员提供的报告。他前往阿特拉斯山的一块选定区域执行侦察任务。当飞越一个山脉地区的某个点时，他观察到下面有人在打信号。信号是通过摩尔斯电码发送的，重复了两遍。在这里。"

他把报告放在杰索普面前。

上面写着：COGLEPROSIESL

他用铅笔把最后两个字母划出来。

"SL——那是我们的代码,表示'不要回复'。"

"COG 是信息的开头,"杰索普说,"这是我们的识别信号。"

"那么剩下的就是实际内容。"他在下面划上线。"LEPROSIE。"他怀疑地揣摩着。

"麻风病?"杰索普说。

"那是什么意思?"

"你们有重要的麻风病人聚居地吗? 或者不重要的聚居地?"

勒布朗在他面前展开一张地图。他用沾满烟碱的粗指头指着。

"这里,"他划出来,"是我们飞行员执行任务的区域。让我看看。我好像想起来……"

他离开了房间,马上又回来了。

"我知道了,"他说,"有一个非常著名的医疗研究所,是一位声名显赫的慈善家修建和捐助的,位于那个地区——顺便说一下,一个非常偏僻的研究所。在麻风病研究方面,这里做了大量有价值的工作。这里有个麻风病人聚居区,容纳了大约二百人。里面还有一个癌症研究所和一个肺结核病疗养院。但是要知道,一切都是最可靠的。也享有最高的声誉。共和国的总统就是它的资助人。"

"是的,"杰索普用赞赏的口吻说,"事实上,非常值得尊敬的工作。"

"但是这里随时都开放,可以进行视察。对这些课题感兴趣的医疗工作者可以前往参观。"

"可他们看不到任何不该他们看的东西!为什么不让他们看到?最值得尊敬的地方是对可疑勾当的最好伪装。"

"可能是,"勒布朗半信半疑地说,"我猜想,这是人们旅程中的中转站。也许对一两个中欧的医生做过这样的安排,并取得成功。也许是一小群人,就像我们正在追踪的一群人,在那里呆上几周之后再继续旅行。"

"我想事情不仅如此,"杰索普说,"我想它可能是——旅途的终点。"

"你认为它很——重要?"

"在我看来,这个麻风病人聚居区很有启发……我认为,现代的医疗手段已经能够实现本地治疗了。"

"也许在文明国家可以,但是人们不能在这个国家进行治疗。"

"不。但是麻风病这个词仍然和中世纪时对这种病的概念有联系,那时候麻风病人身上带着铃铛以警告路人。无所事事的好奇心不会带着人们去一个麻风病聚居区;正如你所说,去那里的人是对那里的医疗研究工作感兴趣的医疗工作者,也可能是社会工作者,他们盼望着报道麻风病人的居住条件——毫无疑问,这一切值得尊敬。在慈善家和慈善的背后——任何事情都可能发生。顺便问一下,谁拥有这个地方?谁是捐助人和建造人?"

"那很容易查清楚。稍等。"

他马上回来了,手里拿着一本官方参考资料。

"它是由私人企业建造的。是以阿里斯蒂德为首的一群慈善家。正如你所知,他拥有巨大的财富,慷慨地向慈善企业捐助。他在巴黎和塞维利亚建有医院。这里主要是他创办——其他的资助人都是他的合伙人。"

"那么——这是阿里斯蒂德的一个企业。当奥利芙·贝特顿在非斯的时候,阿里斯蒂德也在那里。"

"阿里斯蒂德!"勒布朗完全会意,"这可非同小可!①"

"是的。"

"难以置信!②"

"没错。"

"总之,太可怕了!③"

"确实。"

"你意识到这有多么难对付吗?"勒布朗在杰索普面前晃了晃食指,"这个阿里斯蒂德到处插手。几乎每件事他都是幕后操纵者。银行、政府、制造业、军备、运输业!人们从没有见过他,也几乎听不到他的消息!他坐在自己西班牙城堡的一间温暖的房间里,抽着烟,有的时候在纸上乱写几个字,然后扔到地上,一位助手爬过去捡起来,几天后,巴黎一个重要的银行家就会脑袋开花!就像这样!"

———————

①②③　原文均为法语。

"你讲的故事真生动,勒布朗。但是实际上他并没什么奇怪的。一些国家的总统和首相们发表重要的公告,银行家坐在他们奢华的办公桌后面,发表词藻华丽的讲话——但是人们从不会惊讶在重要人物和富丽堂皇后面真正拥有主导权的是一个小个子。阿里斯蒂德是这些失踪事件的幕后操纵者毫不奇怪——事实上,如果我们有所了解的话,我们之前就会想到。整个事件是一起巨大的商业欺诈。根本不存在政治因素。问题是,"他继续说,"我们将如何处理这件事?"

勒布朗的脸变得沮丧起来。

"你知道,这件事不会很简单。如果我们弄错了——我真不敢想象!即使我们是对的——我们必须证明是对的。如果我们进行调查——这些调查会被上级取消——被最高层,你明白吗?是的,这件事不会很简单……但是,"他断然地晃了晃粗壮的食指,"还是要继续查下去。"

第二十章

汽车在盘山公路上飞驰而过,停在了一个镶在岩石上的大门前。一共有四辆汽车。第一辆汽车里坐着一位法国部长和美国大使。第二辆汽车上坐着英国领事,一位议会议员和警察局长。第三辆汽车上坐着前皇家协会的两位会员和两位资深记者。这三辆汽车里的其他成员都是必要的随从。第四辆汽车上坐着的人不为公众所知,但是在他们自己的圈子里却名气十足。他们是勒布朗上尉和杰索普先生。穿着笔挺制服的司机打开车门,一边弯腰致意,一边接贵宾们下车。

"真希望,"部长担心地小声嘀咕,"不会接触到任何传染病。"

一位随从立即安慰地说道:

"先生,一切就绪。[①] 一切预防措施都进行了周密安排。视察时保持相当距离呢。"

这位年事已高、忧心忡忡的部长看起来宽慰了很多。美国大使谈论着当今对这些疾病有更深入的了解和更好的治疗方法。

---

① 原文为法语。

大门被猛然推开。有一小群人站在门口恭候他们。他们是黝黑皮肤和体格健壮的院长、高个子金发的副院长、两位著名的医生和一位著名的化学家。欢迎仪式是法国式的,既华丽又冗长。

"这位亲爱的阿里斯蒂德,"部长说,"我衷心地希望他糟糕的身体不会妨碍他履行会见我们的诺言。"

"阿里斯蒂德先生昨天从西班牙飞过来,"副院长说,"他在里面等你们。部长阁下,请允许我带路。"

整个参观团跟着他。有点担忧的部长扫视着右边一人高的巨大围栏。麻风病人排成密密麻麻的队列立正站好,尽可能远离栏杆。部长看起来很放心。他对麻风病人的印象还停留在中世纪。

在一个装修豪华的现代客厅里,阿里斯蒂德先生正在等候他们。大家鞠躬致意、称赞寒暄、相互介绍后,身穿白色长袍、头戴围巾的黑人端上了茶点。

"先生,你的这个地方真是棒极了,"一位比较年轻的记者对阿里斯蒂德说。

后者做了一个东方式的手势。

"我为这个地方感到骄傲,"他说,"你可能会说,这是我最后的作品。我给人类的最后一件礼物。这里花费了巨资。"

"是这样的,"一位医生真诚地说道,"这里是专业人士梦寐以求的地方。我们在美国的条件不错,但是自从我来这里后,我所看到的是……我们才取得了成果!是的,先生,我们确实取得了成果。"

他的热情颇有感染力。

"我们必须感谢私人企业。"大使很有礼貌地向阿里斯蒂德先生鞠躬致意,说道。

阿里斯蒂德先生谦逊地说:

"上帝已经对我非常好了。"他说。

他弓着腰坐在椅子上,看上去像一只黄色的小癞蛤蟆。议员小声地对一位又老又聋的皇家协会的成员嘀咕说,这个家伙的话十分有趣而又自相矛盾。

"那个老无赖很可能已经让上百万人破产,"他嘀咕道,"赚了这么多钱却不知道该怎么花,他是在用另一种方式进行回报。"听他嘀咕的这位老法官小声说:

"人们想知道,要达到什么样的结果才能证明不断增加的开支是合理的。大多数让人类受益的伟大发现都是用相当简单的工具实现的。"

"那么现在,"当迎接仪式举行完毕,喝过开胃酒后,阿里斯蒂德说,"你们能参加这样一个简单的欢迎宴会,这是我莫大的荣幸。范·海德姆医生将代表我招待大家。我自己正在节食,这些日子饭量很小。宴会过后,你们将会参观我们的大楼。"

在和蔼的范·海德姆医生的引导下,贵宾们兴奋地走进了餐厅。他们先经历了两个小时的飞行,接着坐了一个小时汽车,因此都非常饥饿。餐桌上的食物美味可口,尤其得到了部长的称赞。

"我们享受到舒适的生活,"范·海德姆说,"每周会往这里空运两次新鲜的水果和蔬菜,同时也安排了肉食和鸡肉。当然了,我们这里有巨大的深层冷冻设施。科学必须满足人的食欲。"

进餐时伴有精选的上等葡萄酒。饭后上了土耳其咖啡。然后参观团开始了视察。整个参观历时大约两个小时,最为全面地参观了整个机构。参观结束时,法国部长很高兴。看到明亮的实验室、无数洁白闪亮的走廊,他感到眼花缭乱。更让他目不暇接的是一大堆递到他手中的有关科学研究的详细资料。

尽管部长对这些资料敷衍塞责,其他几个人进行的调查却更为全面认真。他们对这里的生活条件和其它各种细节都很感兴趣。范·海德姆医生似乎非常乐意带着贵宾们参观每个地方。勒布朗和杰索普,前一位陪同着部长,后一位陪同着英国领事,当所有人走回休息室时,他们两个人落在了后面。杰索普掏出了一只老式的、指针嗒嗒转动的手表,看了看时间。

"这里没有线索,一点没有。"勒布朗有点不安地小声说。

"没有一点迹象。"

"亲爱的朋友,正如你所说的,如果我们的调查弄错了,真是大祸临头了!几个星期的时间都被这趟调查浪费掉了!至于我——职业生涯也就此结束了。"

"我们还没有失败,"杰索普说,"我们的朋友就在这里,我敢保证。"

"这里没有他们的行踪。"

"当然没有发现行踪。他们不能留下他们的行踪。

对于这些官方参观，一切都有所准备和安排。"

"那么我们如何得到我们的证据？我告诉你，没有证据，任何人都无法取得进展。他们很怀疑，所有的人都在怀疑。部长、美国大使、英国领事——他们所有的人都说像阿里斯蒂德这样一个人毫无嫌疑。"

"冷静点，勒布朗，保持冷静。我告诉你我们还没有失败。"

勒布朗耸了耸肩膀："我的朋友，你很有乐观精神。"他转过身和一位打扮整洁的圆脸年轻人说了一会儿话，这个年轻人是随从之一，然后转过头带着怀疑询问杰索普："你为什么发笑？"

"在朝着科学资源发笑——准确地说，这是盖氏计数器数值的最新变化。"

"我不是一个科学家。"

"我更不是，但是这个非常灵敏的放射探测器告诉我，我们的朋友就在这里。这座建筑物有意地用一种让人感到迷惑的方式建造。所有的走廊和房间如此相像，我们很难知道自己的方位或者知道这座建筑的平面图是什么样子。这个建筑里有一个部分我们并没有参观到。他们没有向我们展示。"

"但是你就凭借放射探测器的指示推断就是这里？"

"没错。"

"实际上，这又是夫人身上的珍珠发出的？"

"是的。你可能会说，我们还在播《奇幻森林历险记》。但是这里留下的痕迹不会像一条珍珠项链的珠子，或者涂着磷光的手那么明显或者显而易见。他们看不见，但是可以被感应到……通过我们的放射物质探测器——"

"但是，我的上帝，杰索普，那就足够证明了？"

"应该够了，"杰索普说，"令人担心的是……"他打住了。

勒布朗帮他说完了这句话。

"你的意思是来的这些人不愿意相信。他们从一开始就不愿意相信。哦，是的，就是这样。甚至你们的英国领事也是个谨慎的人。你的政府在很多方面感激阿里斯蒂德。至于我的政府，"他耸了耸肩膀，"我知道，说服部长先生会非常难。"

"我们不要指望政府，"杰索普说，"政府和外交家都束手无策。但是我们要让他们在场，因为他们是唯一具有权力的人。但是至于相信的问题，我可以指望别人。"

"你到底能指望谁，我的朋友？"

杰索普严肃的脸突然露出了笑容。

"这里有媒体，"他说，"记者对新闻最敏感。他们不想让这件事被掩盖。他们随时准备相信任何遥远的地方发生的难以置信的事情。另外我还可以指望一个人。"他继续说，"是那个耳朵很聋的老人。"

"啊哈，我知道你说的那个人。那个看上去要入土的人。"

"是的，他耳聋、体弱，而且眼睛看不清。但是他对事实感兴趣。他是前任司法大臣。尽管他耳聋、眼瞎、步履蹒跚，但他的脑子还是同以前一样敏锐——他具有法律专业人士需要的那种敏锐的感觉——当可疑的事情发生并且有人想掩盖可疑的事实时，他就会知道。他这个人会听取证据，也愿意听取证据。"

他们现在已经回到了休息室。茶水和开胃酒已经端了上来。部长几次祝贺阿里斯蒂德先生所做出的成就。美国大使也说了几句。然后部长环顾他的左右，有点紧张地小声说道：

"现在，绅士们，我想该是同我们和蔼的主人告别的时候了。我们在这里看到了一切……"他的腔调在最后几个单词上意味深长地拖长发音，"这里的一切棒极了！一流的设施！我们对主人热情的招待表示由衷的感谢，我们祝贺他在这里取得的成绩。那么我们现在应该离开了。我说得没错，是吧？"

在某种意义上，这些都是客套话，表达的方式也很客套。他扫视了所有的贵宾也是出于礼貌。但实际上，这些话是一种请求。部长表达的意思是："绅士们，你们已经看到了，让你们怀疑和感到恐惧的东西，一点也没有。这让我们倍感欣慰，我们现在可以扪心无愧地离开了。"

但是一个声音打破了寂静。那是杰索普先生冷静、谦逊和纯正的英国口音。他用尽管地道但还掺杂着英国口音的法语对部长说：

"先生，请允许我说句话，"他说，"如果可以的话，我想请我们和蔼的主人帮我一个忙。"

"当然,当然可以。没有问题,杰索普先生——是的,是的?"

杰索普严肃地对范·海德姆医生说话。他假装不看阿里斯蒂德先生。

"我们见到了这么多你们的人,"他说,"真是令人感到眼花缭乱。但是这里有一个我的老朋友,我很想说句话。我想在我离开之前可以帮我安排一下吗?"

"你的一位朋友?"范·海德姆医生惊讶但又礼貌地说。

"哦,实际上是两位朋友,"杰索普说,"有一位女士,贝特顿夫人。奥利芙·贝特顿。我相信她的丈夫在这里工作。汤姆·贝特顿。过去在哈威尔工作,在那之前是在美国。我很想在离开之前和他们两个人说句话。"

范·海德姆医生的反应简直是无懈可击。他睁大了眼睛,感到惊讶但不失礼节。他迷惑地皱着眉头。

"贝特顿——贝特顿夫人——不,恐怕我们这里没有叫这个名字的人。"

"这里还有个美国人,"杰索普说,"安德鲁·彼得斯。我想他是位化学家。我说得很对,先生,不是吗?"他谦逊地转头看着美国大使。

这位大使是一位精明的中年人,有一双敏锐的蓝眼睛。他很具有外交家的气质。他眼睛看着杰索普的眼睛。他考虑了一会儿,然后开口说:

"哦,是的,"他说,"是这样的。安德鲁·彼得斯。我想见他一面。"范·海德姆感到更加疑惑。杰索普悄悄地迅速扫了阿里斯蒂德一眼。这个小老头儿的黄脸上没有任何表情,没有惊讶,也没有不安。他看起来好像只是不感兴趣。

"安德鲁·彼得斯? 不,阁下,恐怕你弄错了。我们这里没有这个人。我恐怕自己甚至没有听说过这个名字。"

"你知道托马斯·贝特顿这个名字,不是吗?"杰索普说。

范·海德姆犹豫了一会儿。他的头微微转向坐在椅子上的老头儿,但马上就转了回来。

"托马斯·贝特顿,"他说,"哦,是的,我想——"

一位媒体记者突然插嘴说道:

"托马斯·贝特顿,"他说,"哦,他可是个轰动性新闻人物。六个月前他的失踪引起了巨大的轰动。哦,整个欧洲的报纸头条都是他失踪的消息。警察到处寻找他。你是想说他一直在这个地方吗?"

"不。"范·海德姆厉声说道,"我恐怕有人告诉你的是错误消息,也许是个骗局。今天你已经见到我们这里所有的工作人员。你看到了一切。"

"我想并没有看到一切,"杰索普冷静地说,"一位叫埃里克松的年轻人也在这里,"他补充说,"还有路易斯·巴龙博士,还可能有卡尔文·贝克夫人。"

"啊。"范·海德姆医生看上去得到了启发,"但是这些人在摩洛哥死了——死于一场空难。我现在记起来了。至少我记得埃里克松和路易斯·巴龙博士是死于那场空难的。啊,那天法国蒙受了巨大的损失。像路易斯·巴龙博士这样的人是很难取代的。"他摇了摇头。"我从来没有听说过卡尔文·贝克夫人,但是我好像记得在那架飞机上有一个英国或者美国妇女。也许那个女人就是这个你说的贝特顿夫人吧。是的,这非常令人痛心。"他带着询问的表情看着杰索普,"先生,我不明白为什么你认为这些人要来这里。很可能是因为巴龙博士曾提起过他希望参观我们的机构,而他那时正在北非。那很可能引起了误解。"

"那么你是要告诉我,"杰索普说,"我弄错了?这些人当中没有一个在这里?"

"我亲爱的先生,他们全都在空难中死去了,怎么会在这里呢?我想他们的尸体都已经被找到了。"

"找到的尸体严重烧焦,无法辨别。"杰索普说出最后几个字时有意地加强了语气。

现场气氛有点混乱。一个微弱但清晰的声音说道:

"我想你是在说不能精确地辨别?"阿尔弗斯托克勋爵向前探着身子,把手放在耳朵上。在他那浓密的眉毛下面,他那双敏锐的小眼睛正盯着杰索普。

"勋爵先生,无法进行严格的辨认,"杰索普说,"我有理由相信那些人在那场空难中逃生。"

"相信?"阿尔弗斯托克勋爵微弱和高亢的声音中带着不快。

"我应该说我有证据证明他们还活着。"

"证据？到底是什么，杰——索——普先生。"

"贝特顿夫人离开非斯前往马卡喀什那天佩戴着一条人造珍珠项链，"杰索普说，"在离失事飞机残骸半英里远的地方我们发现了那条项链上的一颗珍珠。"

"你怎么能肯定地说这颗被发现的珍珠来自贝特顿夫人的项链？"

"因为项链上的所有珍珠都有肉眼无法看到的标记，只能使用高倍透镜才能看见。"

"谁在上面做的标记？"

"阿尔弗斯托克勋爵，我做的标记，我的同事勒布朗先生在场见证。"

"你做了这些标记——你有理由在那些珍珠上以那种特殊的方式做标记吗？"

"是的，勋爵先生。我有理由相信贝特顿夫人会带我们见到她的丈夫托马斯·贝特顿，此人正在通缉中。"杰索普继续说，"另外两颗珍珠相继被发现。每一颗珍珠都是在从失事飞机的残骸到我们正站着的这个地方之间的路线上发现的。通过对珍珠被发现地点周边的盘查，最终发现了六个人曾经在那里出现，他们同被认定在空难中被烧焦的那些人的样子基本吻合。其中一位乘客手上还戴着一只浸有发光磷的手套。人们在载着旅客来这里的一辆车上看到了这只手套。"

阿尔弗斯托克勋爵用冷漠和公正的声音说：

"非常精彩。"

坐在一张大椅子上的阿里斯蒂德先生有点坐立不安了。他的眼睛迅速眨了两下。然后，他开始发问：

"这伙人最后留下的痕迹是在哪里发现的？"

"在一个废弃的军用飞机场，先生。"他说出了准确的位置。

"那里离这里有几百英里，"阿里斯蒂德先生说，"诚然，你那非常有趣的推断是正确的，也有理由相信这起空难是伪造的，我推断这些乘客接着从这个废弃的军用机场起飞前往某个不明地点。既然那个机场离这里有几百英里，我真的不明白你认为这些人在这里的根据是什么。他们为什么会在这里？"

"当然有非常令人信服的理由，先生。我们的一架侦察机收到了一个信号。这个信号的信息被送到勒布朗先生那里。这个信号以一个特殊的识别码开头，提供了失踪的人正在一个麻疯病院的信息。"

"我发现这很精彩，"阿里斯蒂德先生说，"非常精彩。但是在我看来，你被某些别有用心的人误导了，这是毫无疑问的。这些人不在这里。"他沉着和肯定地下着结论，"如果你愿意，你可以随意搜查这里。"

"我怀疑我们是否能找到任何线索，先生，"杰索普说，"也就是说这样走马观花地搜查什么都找不到，"他直截了当地说，"我知道搜查应该从哪个区域开始进行。"

"真的！从哪里？"

"从第二个实验室的第四个走廊向左转，在那条走廊的尽头。"

范·海德姆医生突然动了一下。桌子上的两个玻璃杯摔到地上碎了。杰索普微笑着看着他。

"医生,你看,"他说,"我们消息灵通吧。"

范·海德姆医生厉声说道:"这很荒谬。绝对荒谬!你在暗示我们违背他们的意愿将其扣留。我坚决否认。"

部长不安地说:

"我们看起来陷入了僵局。"

阿里斯蒂德先生轻声说道:

"这是个有趣的理论。但是只是一个理论。"他扫了一眼手表,"绅士们,请原谅我提示你们现在应该离开了。你们返回机场还要驱车很长一段路,如果你们误了飞机,会引起恐慌的。"

勒布朗和杰索普都意识到现在是摊牌的时候了。阿里斯蒂德正在利用个人强大的影响力向他们施压。他正在恐吓这些人不要违背他的意愿。如果他们坚持,这就意味着他们就是要公开反对他。部长按照他的指示,急于让步。警察局长急于讨好部长。美国大使虽不满意,但是他碍于外交原因,对于是否坚持下去犹豫不决。英国领事不得不同另外两个人表示一致。

记者们——阿里斯蒂德认为记者们——这些记者们能搞定!他们的要价会很高,但是他认为他们可以被收买。如果他们无法被收买——哦,还有别的办法。

至于杰索普和勒布朗,他们自己很清楚。那是显而易见的,但是他们在没有官方授权的情况下不能采取任何行动。他扫视了一圈,看见了一个和他年纪相仿的人,这个人的眼中透着冷静和公正。他知道,这个人不会被收买。但是毕竟……他的思绪被远处传来的一个冷静、清晰和微弱的声音打断。

"我的意见是,"这个声音说道,"我们不应该不合时宜地匆忙离开。因为这里的案子对我而言还需继续盘问。既然有人提出了严肃的控告,我想就不该放任不管。公平起见,应利用一切机会进行辩驳。"

"大家都有举证的责任,"阿里斯蒂德先生说。他很优雅地向大家做了一个手势,"这是一个荒谬的指控,毫无证据支持。"

"并非没有证据。"

范·海德姆医生惊讶地转过身。一位摩洛哥佣人站了出来。他秀美的身材穿着白色刺绣长袍,头上包着白色穆斯林头巾,黝黑的脸油光闪亮。

在场的所有人惊讶地看着他,都哑口无言,因为从他那张厚实的黑人嘴唇中传出了地道的美国口音。

"并非没有证据,"这个声音说道,"你们现在就可以从我这里得到证据。这些绅士们否认安德鲁·彼得斯、托尔奎尔·埃里克松、贝特顿先生和夫人以及路易斯·巴龙博士在这里。这些话都是谎言。他们全都在这里——我替他们说话。"他向着美国大使走了一步,"先生,你可能认不出我来,"他说,"但是我就是安德鲁·彼得斯。"

阿里斯蒂德的嘴里发出了一阵非常微弱的嗞嗞声,

然后他坐到自己的椅子上,脸上又变得毫无表情。

"这里藏着一大群人,"彼得斯说,"有慕尼黑的施瓦茨,黑尔佳·尼德海姆,英国科学家杰弗里斯和戴维森,美国的保罗·韦德,意大利人里卡切蒂和比安长,还有默奇森。他们全都在这座建筑里。这里面有一套隔墙系统,使用肉眼是不可能发现的。还有一个秘密的实验室网络,被延伸建造在岩石里。"

"上帝保佑,"美国大使突然说。他彻底地打量着这位威风的非洲人,然后他开始大笑起来,"我现在也不敢说能认出你。"他说。

"这是因为嘴唇上涂了石蜡,先生,更不用说脸上的黑颜料了。"

"如果你是彼得斯,你在美国联邦调查局的编号是多少?"

"813471,先生。"

"很好,"大使说道,"你其它名字的大写字母缩写?"

"B. A. P. G,先生。"大使点了点头。

"这个人就是彼得斯,"他边说边看着法国部长。

部长支支吾吾,然后清了清嗓子。

"你声称,"他询问彼得斯,"这些人被迫扣留在这里?"

"有些人愿意在这里,阁下,有些人不情愿。"

"如果是那样的话,"部长说,"就要留下每个人的口供——是的,是的,一定要记录口供。"

他看着警察局长。后者走上前来。

"请等一下。"阿里斯蒂德先生举起一只手,"那看起来,"他用文雅清晰的声音说,"有人在此滥用我的信任了。"他严肃的眼神从范·海德姆医生扫视到院长,里面带着不可违抗的命令,"绅士们,对于你们出于对科学的热情而放任自己干的这一切,我现在毫不知情。我对这个地方进行捐赠完全出于对研究的兴趣。我没有参与制定政策以及实际运作。院长先生,我建议你,如果这一指控属实,那么立即交出这些被怀疑非法扣留的人们。"

"但是,先生,这是不可能的。我——这将会——"

"任何实验,"阿里斯蒂德先生说,"都结束了。"他那双冷静的金融家独有的眼睛凝视着宾客们。"先生们,我不必向你们保证,"他说,"如果这里发生了任何非法的事情,这都与我无关。"

这是一个命令,人们之所以这样理解,源于他的财富、他的势力和影响力。阿里斯蒂德先生,世界著名大亨,不会被牵连其中。然而,即使是他自己安然无恙地逃脱,这仍然是一场失败。他的企图失败了,他希望从中获取巨额利益的人才资源库失败了。阿里斯蒂德先生面对失败泰然自若。在他的职业生涯中,偶尔会出现失败。他总是沉着地接受失败,然后开始下一个计划。

他用手做了一个东方式的手势。

"我不管这件事了。"他说。

警察局长匆忙站出来。现在他明白他的手势是什么意思。他知道他的指令。他准备行使自己的全部权力。

　　"我不想有人妨碍公务,"他说,"我的职责是进行全面调查。"

　　范·海德姆脸色苍白地走上前来。

　　"如果您愿意,请跟我来,"他说,"我将带您去我们秘密的房间。"

第二十一章

"哦,我感觉自己像是从一场噩梦中醒来。"希拉里叹着气说。

她把双手伸展到头顶。他们正坐在丹吉尔一家宾馆的露台上。他们是那天早上乘坐飞机刚刚抵达的。希拉里继续说:

"这一切都是真的? 好像不是!"

"这一切的确发生过,"汤姆·贝特顿说,"但是我同意你的看法,奥利芙,这是一场噩梦。哦,我现在已经醒来了。"

杰索普走到露台上,坐在他们旁边。

"安迪·彼得斯在哪里?"希拉里问。

"他现在就在这里,"杰索普说,"他有点事情要办。"

"那么彼得斯是你们的人,"希拉里说,"他一路上留下了磷光痕迹,身上还有一个发射放射物质的铅制烟盒。我从来不知道那种东西。"

"不,"杰索普说,"你们两个人相互之间都很慎重。但是严格说,他不是我们的人。他代表美国。"

"你说过,如果我无法接触到汤姆,你希望我能得到保护,你的意思就是那个人? 你是指安迪·彼得斯。"

杰索普点了点头。

"我希望你不要责怪我,"杰索普用他那最为严肃的口气说,"没有让你体验到你想要的结局。"

希拉里看起来表情十分疑惑。"什么结局?"

"一种更为刺激的自杀方式。"他说。

"哦,那个啊!"她怀疑地摇着头,"那看上去和其它任何事情一样都不真实。我已经装扮成奥利芙·贝特顿这么久了,让我重新成为希拉里·克雷文会感到相当迷茫。"

"啊,"杰索普说,"这是我的朋友,勒布朗。我必须离开,和他谈些事情。"

他离开他们,沿着露台走去。汤姆·贝特顿马上说:

"奥利芙,你愿意再为我做一件事情吗?我还叫你奥利芙——我已经习惯这么叫了。"

"当然可以。什么事情?"

"和我一起沿着露台走走,然后你回到这里,就说我已经回房间躺下休息了。"

她满是疑问地看着他。

"但为什么?你这是——?"

"亲爱的,我要走了,还是走为上策。"

"走?去哪里?"

"不管何处。"

"但为什么?"

"亲爱的女孩儿,用脑子想一想。我不知道这里形势如何。丹吉尔是一个奇怪的地方,不属于任何国家管辖。但是如果我同你们一起前往直布罗陀,我知道会发生什么事情。当我到那里后发生的第一件事情就是,我将被逮捕。"

希拉里焦虑地看着他。她还沉浸在从禁闭之地逃离出来的兴奋中,因此忘记了汤姆·贝特顿面临的麻烦。

"你的意思是害怕受到《官方机密法案》或者类似法律的惩罚?但是你真的不能指望逃走,不是吗,汤姆?你能去哪里?"

"我已经告诉你了。任何地方。"

"但是现在这种情况下,那样做可行吗?到处需要花钱,困难重重。"

他淡淡一笑。"钱好办。我已经用一个新名字存了一笔钱,随时可以拿到手。"

"那么你的确收了钱?"

"当然,我收了钱。"

"但是他们会追捕到你。"

"他们会发现追捕我很困难。你没有意识到,奥利芙,他们掌握的关于我的描述同我现在的样子很不同。这也是我为什么这么渴望接受整容手术的原因。你知道,这是最重要的一点。逃离英国,存上一笔钱,通过整容手术改变我的外貌,这样我的生活就安全了。"

希拉里怀疑地看着他。

"你错了,"她说,"我肯定你错了。回去勇敢地面对这一切,这样做会更好。毕竟,现在不是战争时期了。我想你只会被判短期监禁。你的余生在逃亡中度过有什么好处?"

"你不明白，"他说，"你根本不明白这是怎么一回事。来吧，我们走吧。已经没有可以耽搁的时间了。"

"但是你如何从丹吉尔逃走呢？"

"我会想办法。不要担心。"

她从自己的座位上站起来，陪着他慢慢地沿着露台漫步。她很奇怪地感到不太妥当，却又不知该怎么说。她已经对杰索普以及那个死去的女人奥利芙·贝特顿尽到了自己的义务。现在不需要再做别的事情了。她和汤姆·贝特顿关系紧密地一起生活了几周，然而她还是感觉互相之间很陌生。他们之间没有产生任何交情或者友谊。

他们走到了露台的尽头。那边的墙上有一个小的边门，穿过去就是一条从山上通往港口的蜿蜒小路。

"我从这条路溜出去，"贝特顿说，"没有人注意。再见。"

"祝你好运。"希拉里缓缓地说。

她站在那里，看着贝特顿走到门前，转动把手开门。门刚被打开，他就退后了一步，停下来。门口站着三个男子。其中两个男子进了门，朝他走来。第一个男子很正式地说：

"托马斯·贝特顿，我这里有逮捕你的逮捕证。在引渡手续办理过程中，你将被拘留关押。"

贝特顿迅速转身，但是另外一个人已经迅速地绕到了他身体的另外一侧。于是，他笑着转过身来。

"很好，"他说，"只不过我不是托马斯·贝特顿。"

第三个人穿过门道走进来，站在另外两个人的旁边。

"哦，是的，你是，"他说，"你就是托马斯·贝特顿。"

贝特顿微笑着说：

"你的意思是，上个月你一直和我在一起生活，听到我被别人叫做托马斯·贝特顿，也听到我叫自己托马斯·贝特顿。事实是我并不是托马斯·贝特顿。我在巴黎遇到了贝特顿。我就冒充了他。如果你们不相信，可以问一问这位夫人，"他说，"他假扮成我的妻子来和我团聚，我把她当成我的妻子。我就是这样做的，不是吗？"

希拉里点点头。

"那是因为，"贝特顿说，"我不是托马斯·贝特顿，自然不认识托马斯·贝特顿的妻子。我误认为她是托马斯·贝特顿的妻子。后来，我不得不想出一些能让她满意的解释。但是那就是事实。"

"那么这就是你为什么要假装认识我的原因，"希拉里叫道，"那时你告诉我装扮下去——继续假扮贝特顿夫人！"

贝特顿又一次自信地笑起来。

"我不是贝特顿，"他说，"随便找一张贝特顿的照片看看吧，你们就会知道我所说的就是事实。"

彼得斯向前走了几步。当他张口说话时，他的声音完全不像希拉里完全熟悉的彼得斯的声音。这个声音沉着而冷静。

"我已经看过贝特顿的照片，"他说，"我也认为我不会把你当成这个人。但是你还是托马斯·贝特顿，我可以证明。"

他突然很强有力地抓住托马斯·贝特顿,撕破了他的衬衣。

"如果你是托马斯·贝特顿,"他说,"在你胳膊右肘有一个Z字形的伤疤。"

他一边说着,一边撕开衬衣,把贝特顿的胳膊弯起来。

"就在这里,"他得意地指着说,"美国的两个实验室助手可以证明。埃尔莎写信告诉过我你什么时候弄上这条伤疤的。"

"埃尔莎?"贝特顿盯着他。他开始紧张地哆嗦,"埃尔莎? 埃尔莎是怎么回事?"

"看看对你的指控是怎么说的吧?"

警官再次走上前。

"你受到的指控是,"他说,"一级谋杀。谋杀了你的妻子,埃尔莎·贝特顿。"

第二十二章

"很抱歉,奥利芙。你一定要相信我很抱歉。我的意思是为你感到抱歉。为了你,我已经给他一次机会。我提醒过你,他呆在那个机构里更加安全,然而我跨越了半个地球来抓他,我抓他是为了他对埃尔莎所做的一切。"

"我不明白。我一点也不明白。你是谁?"

"我以为你知道。我是鲍里斯·安德烈·帕夫洛夫·格雷德尔,埃尔莎的堂弟。我从波兰被送往美国的一所大学完成了我的学业。我在欧洲的舅舅认为我最好取得美国公民身份。我为自己起了安德鲁·彼得斯这个名字。然后,战争爆发了,我又回到了欧洲。我参加了抵抗组织。我设法把我舅舅和埃尔莎救出波兰,他们一起去了美国。埃尔莎——我已经告诉过你埃尔莎的事情了。她是我们这个时代一流的科学家之一。是埃尔莎发现了 ZE 裂变。贝特顿那时候是一个年轻的加拿大人,他是曼海姆的实验助手。他熟悉他的工作,但是除此之外他也没有其它的本事。他故意同埃尔莎相爱,并娶她为妻,这样他就可以同埃尔莎正在从事的科学研究扯上关系。当她的实验接近完成时,他意识到 ZE 裂变是多么伟大的一项发现,于是就有意毒害了她。"

"哦,不,不。"

　　"是的。那时候没有人怀疑他。贝特顿看上去极度伤心，自己重新带着热情全身心地投入到工作中，然后宣布他本人发现了 ZE 裂变。这项发现给他带来了他想要的一切。他得到了一流科学家应得的名声和荣耀。他认为在此之后离开美国，前往英国更加明智。他去了哈威尔，在那里工作。

　　"在战争结束后，我又留在欧洲工作了一段时间。因为我通晓德语、俄语和波兰语，所以我可以做一些很有用处的工作。埃尔莎在临死前写给我的信让我感到不安。在我看来，让她痛苦并导致她死亡的病痛很奇怪，也无法解释。当我最后回到美国时，我开始进行调查。我们不可能调查事情的整个经过，但是我发现了我要寻找的东西。那就是申请掘墓验尸，这就够了。在地方检察官的办公室，有一位年轻人是贝特顿的好友。那时候他正在欧洲进行访问，我想他拜访了贝特顿，在他拜访期间提到了掘墓验尸的事情。贝特顿害怕了。我想，那时我们的朋友阿里斯蒂德先生的手下已经同他接触过了。不论如何，他那时认为这是避免被抓捕和受到谋杀审判的最好机会。他接受了阿里斯蒂德提出的条件，他自己的要求就是彻底改变他的容貌。当然，实际上发生的事情是他发现自己真的被囚禁了。而且他发现自己在那里处境很危险，因为他无法拿出成果——也就是说，科学成果。他不是，也从来不是一个天才。"

　　"那么你在追踪他？"

　　"是的。当报纸上充满了托马斯·贝特顿这位科学家失踪的轰动性消息时，我就来到了英国。我有一位非常出色的科学家朋友，曾经有一位斯皮德尔夫人向他提过一些建议，这个斯皮德尔夫人是联合国组织的工作人员。当我到达英国时就发现，这位斯皮德尔夫人同贝特顿见过面。我有意地讨好她，表达了自己的左翼观点，还很夸张地介绍了自己的科学研究能力。你知道，我认为贝特顿一定藏在铁幕后，没有人能够接近他。哦，既然别人无法接近他，我打算亲自去找他。"他的嘴唇紧闭，变得十分激动和愤怒，"埃尔莎是一位一流的科学家，她还是一位美丽和温柔的女人。她被自己深爱的和信任的男人杀害。如果有必要，我要用自己的双手干掉贝特顿。"

"我明白了，"希拉里说，"哦，我现在明白了。"

"我给你写过信，"彼得斯说，"当我到达英国的时候，我给你写了一封信，签名是我的波兰名字，把事实都告诉你了。"他看着她，"我猜想你不相信我。你也没有回复。"他耸了耸肩膀。"然后我去了情报机构。起初我假扮成一位波兰情报官，态度生硬、拘谨。那个时候我怀疑每一个人。然而，最后杰索普和我走到了一起。"他停顿了一下，"今天早上，我的调查结束了。申请引渡命令后，贝特顿将被送往美国，接受审讯。如果他被宣判无罪，我无话可说。"他表情可怕地补充说道，"但是他不会被判无罪的。现在铁证如山。"

他停顿了一下，眼睛越过阳光照耀下的花园，看向大海。

"该死的是，"他说，"你离开英国去和他团聚，我遇见了你,爱上了你。奥利芙,这真该死。相信我。我们之间事已至此。我有责任将你的丈夫送上电椅。我们不能逃避这个事实。即使你可以原谅这件事,但你也永远不会忘记。"他站起来,"哦,我本来想亲自告诉你整个故事的。那么再见吧。"当他突然转身时,希拉里伸出一只手。

"等一下,"她说,"等一等。还有些事情你还不知道。我不是贝特顿的妻子。贝特顿的妻子,奥利芙·贝特顿已经死于卡萨布兰卡。杰索普建议我假扮了她。"

他转过身来盯着她。

"你不是奥利芙·贝特顿?"

"不是。"

"上帝啊,"安迪·彼得斯说,"我的上帝啊!"他重重地坐到她身边的一张椅子上,"奥利芙,"他说,"奥利芙,亲爱的。"

"不要叫我奥利芙。我叫希拉里。希拉里·克雷文。"

"希拉里?"他疑问地说,"我要习惯这么称呼你。"他抓住她的手。

在露台的另一端,杰索普正在和勒布朗谈论着现在这种形势下面临的各种技术难题,他打断了自己的话。

"你们在说?"他心不在焉地问。

"亲爱的朋友,我是说在我看来,我们将无法对阿里斯蒂德这个野兽提起诉讼。"

"是的,无法起诉。阿里斯蒂德总是赢家。那就是说他们总是设法从中逃脱。但是他将损失大笔钱,他不会高兴。即使是阿里斯蒂德也无法永远都能绝处逢生。我敢说，从他的眼神可以看出，不用多久，他就会受到最高法院的审判。"

"我的朋友，你在看什么？"

"这两个人，"杰索普说，"我派遣希拉里·克雷文参加了这个前往不明之地的旅行，但是在我看来，她的旅行结局很圆满。"

勒布朗有点疑惑，然后说：

"啊哈！是的！你们的莎士比亚式的情节！"

"你们法国人都博览群书！"杰索普说。